Le 6ᵉ talent

Rayonnez grâce au meilleur de vous-même !

Catalogage avant publication de Bibliothèque et Archives nationales du Québec et Bibliothèque et Archives Canada

Doucet, Carole, 1961-
     Le 6e talent
     (Les communicateurs)
     Comprend des références bibliographiques.
     1. Aptitude. I. Ducharme, Martin, 1967- . II. Garneau, Louis, 1958- .
     III. Titre. IV. Titre : Sixième talent. V. Collection : Collection Les
     communicateurs.

BF431.D68 2017   153.9   C2017-940368-0

Dépôts légaux
Bibliothèque nationale du Québec
Bibliothèque nationale du Canada
Imprimé au Canada

Diffusion en Amérique :
La boîte de diffusion
288, boulevard Sainte-Rose
Laval (Québec) H7L 1M3
Canada

Distribution en Amérique :
Prologue
1650, boulevard Lionel-Bertrand
Boisbriand (Québec) J7H 1N7
Canada

Canadä *Avec la participation du gouvernement du Canada.*

Québec ❖❖ *Gouvernement du Québec – Programme de crédit d'impôt pour l'édition de livres – Gestion SODEC*

Révision : Pierre Corbeil
Conception graphique et mise en pages : Évelyne Deshaies
Impression : HLN

© Isabelle Quentin éditeur 2017

iqe.qc.ca
ISBN : 978-2-924200-28-5

1 2 3 4 5 21 20 19 18 17

Carole Doucet
Martin Ducharme

Le 6e talent

Rayonnez grâce au meilleur de vous-même !

 Les communicateurs

Collection *Les communicateurs*

La collection *Les communicateurs* vise à réunir des écrits spécialement rédigés pour un large public par des spécialistes qui sont reconnus, chacun dans son domaine, pour leur avant-gardisme.

Ces ouvrages se veulent donc pratiques, tout en offrant un solide contenu intellectuel. De ce fait, c'est tout autant au cœur qu'à l'esprit qu'ils font appel.

Ils sont toujours le fruit d'orateurs de talent, aptes à transmettre efficacement des messages parfois complexes.

Cette collection, loin de se limiter à un champ d'études particulier, est essentiellement ouverte à une recherche d'information et à une qualité du discours.

Pour tous renseignements sur ces conférenciers ou pour nous faire part de vos commentaires, n'hésitez pas à communiquer avec l'éditeur.

editeur@iqe.qc.ca

Table des matières

Préface

Quand j'étais jeune, je pensais que je n'avais aucun talent précis.

Avant de commencer l'école, rien ne me portait à croire que j'avais des talents. Je n'étais pas le plus beau, ni le plus fort ou le plus grand, et je ne courais pas plus vite que mes amis.

En première année, les religieuses de la Trinité découvrent que je suis un enfant *lunatique*, ce qui me vaut des périodes *dans le coin*, une sorte de punition utilisée à l'époque pour corriger, entre autres, les petits *lunatiques* comme moi (faute d'une meilleure désignation). À vrai dire, l'école ne m'intéressait pas beaucoup; avec du recul et les avancées de la science, on pourrait probablement dire aujourd'hui que je présentais tous les signes d'un TDA (trouble du déficit de l'attention).

Au secondaire, j'ai réussi de peine et de misère à me faire admettre au Collège des Jésuites. C'est là que s'est produit un premier déclic, dans le cours du père Tougas : les arts plastiques. Je venais de trouver ma première passion et mon premier talent, la *créativité* ! Pendant l'année scolaire, le père Tougas téléphonait périodiquement à ma mère pour lui dire à quel point j'étais talentueux. Ma mère, loin d'apprécier, me disait, un peu découragée : «J'aurais préféré que ce soit ton professeur de mathématiques qui m'appelle ! Louis, tu ne gagneras jamais ta vie avec les arts !»

Au cégep, je m'inscris en Sciences humaines avec mathématiques dans le but de devenir avocat et ainsi suivre, d'une certaine façon, les traces de mon père qui était policier. Je voulais tellement faire plaisir à mes parents!

Au bout de deux ans, je décide de suivre un cours complémentaire en arts plastiques, et revoilà le déclic! Pour la deuxième fois, je suis heureux à l'école! Je décide donc de m'inscrire à l'Université Laval en Arts visuels. Ce fut la plus belle période scolaire de ma vie. J'ai même terminé mon baccalauréat avec une bourse d'excellence qui m'a permis de démarrer par la suite une petite entreprise de confection de vêtements dans le garage de mon père.

Entre-temps, j'ai entrepris à l'âge de douze ans de faire de la compétition cycliste en participant à une première course où j'ai terminé avant-dernier! Malgré ce résultat très quelconque, j'ai tellement aimé le vélo que j'ai persisté dans mon sport et me suis ainsi découvert un autre talent caché, la *persévérance*, qui m'a mené après treize ans de compétitions aux Jeux olympiques de Los Angeles en 1984! Malheureusement, pendant la course qui devait être LA course de ma vie, j'ai été victime d'une chute; refusant toutefois d'abandonner, je me suis relevé et j'ai pu terminer la course en 33ᵉ position sur un total de 163 participants.

L'aventure ne s'arrête pas là, bien au contraire! Je rêvais depuis plusieurs années d'être un *entrepreneur* et un *inventeur*; je voulais créer des produits à partir de mon expérience sportive et artistique. Mon long parcours scolaire et sportif a ainsi fini par dévoiler ma plus grande passion au monde: les affaires! Encore là, au début, je n'étais pas excellent. J'ai fait des erreurs. Mais ma passion et le travail acharné m'ont faitdécouvrir un autre talent, possiblement le plus important de tous, soit celui qui m'a permis de me lancer en affaires.

Au fil de ma vie, j'ai fait le vœu de développer au maximum les talents que j'ai reçus, et ce, jusqu'à ma mort ! C'est pourquoi, lorsque Carole Doucet et Martin Ducharme m'ont approché avec *Le 6ᵉ talent*, je n'ai pas hésité une seconde avant d'accepter d'en rédiger la préface.

J'ai pris conscience de mes talents sur une longue période, d'abord par les sports, puis à travers les arts. Ces deux approches, qui en apparence n'avaient rien en commun, m'ont finalement amené à découvrir, beaucoup plus tard, mon talent ultime : le sens des affaires. Ce talent, jumelé à une fibre entrepreneuriale qui ne se dément pas, évoque sans conteste mon 6ᵉ talent, celui par lequel j'ai mis en lumière les talents grâce auxquels je me suis réalisé et démarqué jusqu'à atteindre mon plein potentiel, celui qui m'a permis de bâtir une entreprise solide et de réputation mondiale dans un domaine d'activité que j'adore et que j'ai dans le sang. En prime, j'ai aussi pu y exprimer mes talents créatifs dans les arts, que j'utilise pour la partie design de mon entreprise.

Tout le monde a du talent dans quelque chose, même si ce n'est peut-être pas évident au départ. Il suffit de se découvrir, et il n'est jamais trop tard pour le faire. Il m'a fallu des années pour me réaliser pleinement, dans toutes les facettes de ma personnalité, avec pour seul guide mon instinct. Cet ouvrage constitue un important outil qui aidera le lecteur à reconnaître et à mobiliser ses forces, ses aptitudes et ses talents, et qui lui permettra peut-être de se découvrir plus rapidement en lui évitant bien des détours.

Je vous souhaite de tout cœur de faire éclore tous les talents qui sommeillent en vous, aidé de ce livre qui constitue un précieux guide de découvertes.

Quant à moi, je peux aujourd'hui vous dire que ma mère est finalement heureuse que j'aie assumé le talent d'artiste et de créativité qui se cachait en moi !

Louis Garneau

Président designer
Fondateur de Louis Garneau Sports inc.
Officier de l'Ordre du Canada
Chevalier de l'Ordre national du Québec
Docteur honoris causa de l'Université d'Ottawa

«Apprendre à se connaître un peu plus,
c'est se rapprocher de sa beauté.
Utiliser ce savoir, c'est y arriver.»

Martin Ducharme

«Un talent, c'est comme l'amitié.
Plus on l'exprime, plus il s'épanouit.»

Carole Doucet

Le talent n'est pas un don.
Mais comme le don, il est inné.
Nous avons tous des talents.
À nous de les découvrir.
À nous de les utiliser.
À nous de les faire connaître aux autres.
C'est possible.
Et même assez simple.
C'est ce que ce livre vous démontrera.
C'est la promesse que les auteurs vous font.
Pour cela, une seule condition.
Faites les exercices au fur et à mesure de votre
lecture afin d'activer votre 6e talent, celui qui vous fait
briller de tous vos feux.
Et prenez l'habitude de le déployer au quotidien.
Rayonnez grâce au meilleur de vous-même !

Le pas-à-pas de votre lecture

Ce livre se présente comme un partage issu de la volonté de donner au suivant, pour qu'un maximum de personnes, notamment dans le milieu des affaires, du management et de l'éducation, puissent expérimenter la puissance du 6e talent.

Tout d'abord, en découvrant ou redécouvrant vos talents dominants au chapitre 1.

Ensuite, au chapitre 2, en découvrant la formule du 6e talent, celui qui révélera bientôt le meilleur de vous-même aux autres.

Au chapitre suivant, vous découvrirez pourquoi l'expression de vos talents dominants constitue le moyen par excellence de les mettre à profit.

Pour vous assurer d'ancrer cette nouvelle habitude, le chapitre 4 vous montrera comment afficher et incarner clairement ce que vous avez de mieux à offrir au monde.

Comme le cerveau se joue de nous lorsque nous adoptons de nouvelles stratégies, le chapitre 5 vous proposera des astuces pour faire de lui un allié, sur fond de neurosciences.

Enfin, le 6e talent est un levier qui multipliera sous peu les impacts et les résultats de votre mise en lumière. Aussi le chapitre 6 explique-t-il comment fortifier ce talent précieux entre tous pour laisser votre marque et léguer un héritage dont vous serez fier.

Pour passer à l'action et aller encore plus loin... une surprise vous attend à la fin du livre.

Fort de son génie et de sa spontanéité, Isaac Newton lui-même vous accompagnera dans votre lecture. Suivez le symbole **N**. L'image du pendule de Newton, utilisée comme métaphore du mouvement et de l'impact, soutiendra votre visualisation et guidera votre expérimentation.

Des exercices simples et probants vous plongeront en outre au cœur du meilleur de vous-même, à chaque étape du parcours.

Bonnes découvertes !

1. Dévoilez vos talents dominants

« Ton cœur est capable de te montrer ton trésor.
Là où sera ton cœur, là sera ton trésor. »

Paulo Coelho, *L'alchimiste*

DÉCOUVRIR LE TRÉSOR

Souvenez-vous, enfant, de votre émerveillement alors que vous faisiez la découverte du coffre à bijoux de votre mère ou du pot de pièces plus ou moins anciennes de votre père. Ou encore lorsque vous écoutiez avec attention les exploits de jeunesse de votre grand-père ou d'un oncle qui avait vécu la guerre et un millier d'autres aventures. L'étonnement et l'admiration devaient très certainement se voir dans vos yeux grands ouverts.

Plus de tels trésors sont partagés, plus ils enrichissent la vie de chacun. Et il en va de même de vos talents distinctifs. Si vous les gardez pour vous, bien cachés, à qui cela profite-t-il ? À personne, pas même à vous.

Comment peut-on émerveiller les gens lorsqu'on garde ses trésors cachés ?

Imaginez que votre patron, vos collègues ou vos clients ignorent que vous possédez tels ou tels talents. Comment peuvent-ils savoir quand et pourquoi faire appel à vous ? Il y a fort à parier que vous risquez de vous retrouver avec des tâches et des responsabilités pour lesquelles vous n'avez ni intérêt ni aptitude particulière, ce qui ne peut que vous laisser un sentiment d'incompétence, ou à tout le moins d'insatisfaction.

> Il vous appartient de faire connaître et valoir ce que vous avez de plus précieux.

Il vous appartient de faire connaître et valoir ce que vous avez de plus précieux, d'autant que vos talents sont souvent reliés à des passions qui vous font vibrer. En dévoilant vos talents, vous exposez ce que vous avez de plus brillant aux yeux des autres, qui sont alors plus susceptibles de faire appel à vous pour les bonnes raisons. Vous pourrez ainsi plus facilement faire votre marque et déployer vos talents avec un maximum d'impact et de satisfaction. Un musée ne garde pas les plus belles pièces de sa collection dans une voûte. Il les met dans ses meilleures salles et il en fait même la promotion.

Vos talents sont-ils dans une voûte à l'abri des regards ?

POURQUOI S'INTÉRESSER AUX TALENTS DOMINANTS ?

Nous connaissons tous des gens qui vivent leur vie sans avoir vraiment conscience de leurs plus grandes forces et de leur potentiel. Ils prennent du coup des directions et des décisions qui ne permettent pas toujours d'optimiser leurs talents.

C'est pourquoi il importe tant de découvrir ses talents, de les faire valoir et de les déployer, pour ensuite aider les autres autour de soi à en faire autant. Prendre conscience de ses talents s'avère une grande source de sagesse et de pouvoir. Et notre 6e talent possède le pouvoir exceptionnel de décupler nos talents distinctifs.

Nos talents font partie de nos forces, ou «points forts», qui se composent également de compétences et de connaissances. Certaines personnes, rares, ont en outre un don sur lequel les talents s'additionnent. Nous y reviendrons bientôt.

FORCES

=

TALENTS + COMPÉTENCES + CONNAISSANCES

Une équation à retenir!

Talent est synonyme de capacité innée et naturelle, d'aisance, d'aptitude, de prédisposition, de virtuosité, et aussi de génie. D'ailleurs, il y a 2000 ans, le talent était une monnaie d'or ou d'argent de grande valeur.

Les talents sont innés alors que les compétences et les connaissances sont acquises.

Compétence fait référence à un savoir-faire acquis, soit un art, une habileté, une autorité, une capacité ou une aptitude obtenue par la formation et la pratique.

Connaissance désigne ce que l'on sait — à l'exclusion de nos compétences —, soit le savoir, la science, la compréhension, le discernement, l'expérience, et même l'intuition.

Les talents sont innés alors que les compétences et les connaissances sont acquises, et ces trois éléments réunis permettent de déployer des capacités remarquables dans différentes situations.

· ·

Des points forts encore plus forts

Pourquoi parler de talents alors que nous avons tant de compétences à développer et de faiblesses à corriger ? Des études menées par Gallup ont démontré qu'investir dans ses talents peut avoir jusqu'à six fois plus d'impact qu'augmenter son savoir (connaissances) ou son savoir-faire (compétences). Innés, les talents servent en effet de multiplicateurs. Pourquoi s'en priver ?

Pour développer vos points forts, cernez tout d'abord le meilleur de vous-même, à savoir vos talents dominants, lesquels peuvent s'épanouir par l'acquisition de compétences et de connaissances.

Un exemple ? Une force en développement d'af-faires peut inclure un talent relationnel jumelé à un savoir-faire quant aux pratiques de l'industrie et à la connaissance des besoins réels du client.

Les recherches en neurosciences confirment d'ailleurs que notre cerveau développe de nouvelles connexions lorsque nous mettons nos talents à profit. Le mythe du cerveau qui cesse de se développer après l'âge de cinq ans est désormais réfuté. Tout au long de la vie, la capa-cité du cerveau à créer, à défaire ou à réorganiser les réseaux de neurones et les connexions entre ces neurones constitue ce que les scientifiques appellent la neuroplasticité.

> Investir dans ses talents peut avoir jusqu'à six fois plus d'impact qu'augmenter son savoir ou son savoir-faire.

S'inspirer des athlètes

Les athlètes connaissent bien les vertus de la neuroplasticité. Chaque fois qu'ils s'entraînent à ce qu'ils font de mieux, le développement de leurs talents leur permet d'atteindre de nouveaux niveaux d'aisance et de performance. Voilà qui donne envie de se mettre à l'œuvre !

Comment pouvons-nous agir sur notre neuroplasticité ? D'abord en nous concentrant davantage sur nos talents domi-nants. Ensuite, en nous en servant comme de puissants leviers de plaisir, d'impact et d'influence.

MYTHES ET RÉALITÉS À PROPOS DES TALENTS

Que l'on soit rationnel ou intuitif, les faits sur les talents sont indéniables et parlent d'eux-mêmes. Avant de les découvrir et de déployer vos talents dominants, puis votre 6ᵉ talent, voyons ce qui peut y faire obstacle.

Tout d'abord, démythifions trois croyances à propos des talents.

Mythe n° 1
Certaines personnes n'ont pas de talents particuliers

On confond souvent talent et don. Vous serez d'accord pour dire que Mozart avait une habileté prodigieuse en musique. Il en va de même de Picasso en peinture, de Bill Gates en informatique, d'Usain Bolt en course à pied et de Céline Dion en chant. Nous pouvons dire de toutes ces personnes qu'elles avaient ou qu'elles ont une capacité exceptionnelle à pratiquer l'activité par laquelle elles se sont fait connaître.

Distinguons maintenant le don du talent. Pour prendre l'exemple de Céline, elle a reçu un don indéniable, celui d'une voix hors du commun. Mais pour mener à bien sa carrière de chanteuse, elle déploie des talents dominants comme la focalisation et la discipline, qui l'aident à exercer et à développer jour après jour l'instrument qu'elle a reçu – sa voix. Et contrairement à son don, ses talents dominants prévalent dans toutes les sphères de sa vie, si bien que si elle décide un jour de mettre fin à sa carrière de chanteuse pour emprunter une nouvelle voie, elle déploiera les mêmes talents dominants qui l'ont servie au cours de sa carrière de chanteuse.

Nous connaissons tous au moins une personne qui avait un don indéniable, mais qui n'a pas su l'exploiter pleinement. Qu'il suffise de penser à certains joueurs de hockey ou athlètes d'exception qui, malgré des prédispositions uniques, n'ont jamais réussi à décrocher les plus grandes distinctions. On comprend dès lors qu'un don, à lui seul, ne peut assurer la réussite. Il doit être appuyé par des talents, un environnement favorable et une intention claire d'en tirer parti.

> Un don, à lui seul, ne peut assurer la réussite.

Cela dit, si nous n'avons pas eu la chance d'être bénis d'un don extraordinaire, nous pouvons tout de même atteindre de très hauts niveaux d'excellence. En nous focalisant sur nos talents dans la pratique de notre activité, nous créons en effet une zone d'excellence particulière qui accroît notre confiance et notre satisfaction profonde.

DES STATISTIQUES QUI PARLENT

Les recherches et l'expérience de Gallup suggèrent que la plupart des gens sous-estiment leurs talents, croient qu'ils ont peu de talents ou jugent l'utilisation de leurs talents limitée. Que nous en soyons conscients ou non, nous avons tous des talents et d'autres points forts. Pourtant, des dix millions de personnes interrogées par Gallup, 70 % ont déclaré ne pas avoir la possibilité de se concentrer sur ce qu'elles font le mieux. Certaines études plus pessimistes portent même le chiffre à 80 % !

Comment apprendre à développer nos talents si nous persistons à nous concentrer sur la correction de nos lacunes ou de nos faiblesses ? Imaginons les effets positifs individuels et collectifs que nous pouvons produire en nous donnant comme objectif d'améliorer les statistiques en restant plutôt concentrés sur nos talents distinctifs !

Mythe n° 2
Un talent ne change pas puisqu'il est inné

Un talent nous permet de faire certaines choses avec aisance, et parfois même avec plaisir. Parce qu'il est naturel, nous tenons parfois le talent pour acquis. Pourtant, en observant les athlètes, par exemple, nous voyons bien qu'ils s'entraînent intensément pour améliorer des talents qu'ils ont déjà.

Rappelez-vous qu'une heure accordée au développement de vos talents peut équivaloir à six heures consacrées à l'acquisition de connaissances et de compétences nouvelles. Ça fait réfléchir !

Visualisons le potentiel et l'avantage que peuvent présenter certains de nos talents si, à l'instar des athlètes, nous nous entraînons à les déployer !

Mythe n° 3
Il est prétentieux de faire valoir ses talents

Concentrer notre attention sur nos talents – et y trouver du plaisir – serait-il donc un acte égoïste ? Bien au contraire. Un talent profite toujours aux autres, et en prime, nous en sommes aussi bénéficiaires. Prendre davantage conscience de nos véritables talents et les exprimer plus positivement peut donc devenir un geste de générosité !

Pensons par exemple aux talents déployés dans les sports, la musique, l'écriture, les arts, ou même la cuisine et le jardinage. Qui en profite vraiment ? Ceux et celles qui, grâce à ces talents, écoutent une musique enivrante, lisent un livre inspirant, dégustent un plat exceptionnel et admirent une œuvre bouleversante. Quant à la personne qui fait profiter de son talent, elle éprouve du bien-être, de la joie, un sentiment d'accomplissement et de la fierté.

Le fait est qu'on peut très bien faire valoir ses talents sans prétentieusement s'en vanter.

Ces mythes étant dissipés, penchons-nous maintenant de plus près sur certaines réalités fondamentales.

Réalité n° 1
Nous avons au moins cinq talents dominants

Eh oui, nous possédons tous au moins cinq talents distinctifs pouvant s'unir à nos connaissances et à nos compétences pour contribuer à l'atteinte de nos objectifs et à notre épanouissement. C'est en les combinant, selon les circonstances, que nous formons nos schèmes ou modèles de réussites. Ces talents dominants influencent la façon dont nous percevons le monde extérieur, réagissons aux situations, travaillons avec les autres et créons.

Réalité n° 2
Mettre ses talents à profit produit des effets positifs à long terme

Lorsque nous prenons conscience de nos talents et de nos forces, nous devenons plus positifs, plus confiants. Mais ces gains sont temporaires. Barbara L. Fredrickson, dans son livre *Positivity*, cite des études scientifiques qui démontrent que pour obtenir des effets positifs durables, nous devons constamment trouver de nouvelles façons concrètes de déployer nos atouts. Une bonne raison de s'y entraîner !

Réalité n° 3
Talents et angles morts

Notre silence concernant nos talents — et nos points forts en général — constitue un angle mort dans nos vies, car nous cachons ainsi aux autres ce que nous faisons de mieux. Trop nombreux sont ceux et celles qui excellent dans certains domaines ou activités, et qui vivent dans l'espoir que les autres les remarquent et les reconnaissent. Il se pourrait qu'ils attendent longtemps ! Nous avons appris très jeune que l'humilité est une valeur noble, mais attention à la fausse modestie.

Dans son livre *A Return To Love*, Marianne Williamson cite ces judicieux propos attribués à Nelson Mandela : « En vous faisant discret, vous ne rendez pas service au monde. C'est notre côté rayonnant, et non notre côté obscur, qui nous effraie le plus. De quel droit, nous demandons-nous, serais-je brillant, superbe, talentueux ou fabuleux ? Demandez-vous plutôt de quel droit vous vous empêcheriez de l'être. »

Inspirons-nous de cette sagesse et soyons proactifs. Trouvons des façons de faire valoir nos talents et de les partager avec les autres. Accordons-nous le droit de communiquer aux autres la valeur que nous apportons.

Réalité n° 4
L'utilisation de nos forces – dont nos talents – stimule la confiance en soi et la performance

Voilà de quoi nous motiver ! Dans son fameux livre *Good to Great*, Jim Collins démontre que les entreprises qui réussissent le mieux se concentrent sur les activités dans lesquelles elles peuvent être les meilleures au monde. Puisqu'une entreprise est une personne morale, on peut imaginer que le même principe s'applique aux individus.

Les recherches de Marcus Buckingham, auteur de *Découvrez vos points forts*, *Go put your Strengths to Work* et *StandOut*, démontrent que nos talents et nos forces s'appliquent à des activités non seulement dans lesquelles nous sommes particulièrement efficaces, mais qui nous donnent aussi de l'énergie. Nous exercer à utiliser davantage nos talents constitue un bon point de départ pour devenir plus confiant et plus performant, tout en rehaussant notre sentiment d'efficacité et de bien-être.

À quand remonte la dernière fois où vous vous êtes demandé si les activités auxquelles vous vous adonnez vous font sentir fort ?

Réalité n° 5
Il existe une zone de talent… une zone d'excellence

Pouvons-nous vraiment être performants en dehors de notre zone de talents ?

Nous entendons souvent l'expression : « se pousser au-delà de sa zone de confort ». Pourtant, les études sur les gens qui réussissent révèlent qu'ils se poussent plutôt à exploiter leurs forces. Ce faisant, ils élargissent leur zone de talents, et par le fait même, leur zone de confort. C'est ainsi que leur zone de talents devient une zone d'excellence !

Conscients de ces réalités, le moment est venu d'identifier nos cinq talents dominants. Nous pourrons ensuite réveiller et déployer notre 6ᵉ talent de manière à faire de nos talents dominants autant de leviers d'excellence.

CONNAÎTRE SES TALENTS DOMINANTS

La conscience consiste à savoir ce qui se passe autour de nous, alors que la conscience de soi consiste à savoir ce que nous valons, ressentons et expérimentons.

L'approfondissement de la conscience de soi met en lumière nos qualités uniques, nos forces, et donc nos talents dominants. Résultat ? Une plus grande maîtrise de soi.

LE FRUIT DE L'EXPÉRIENCE

C'est comme pour la loi de la gravité : lorsqu'on en est conscient, on y pense à deux fois avant de sauter du haut d'un pommier !

Plusieurs options s'offrent à vous pour définir vos talents dominants.

Faire enquête auprès de votre entourage

L'approche la plus simple consiste à demander à vos collègues de travail, à votre famille et à vos amis ce qui vous caractérise à leurs yeux, ce qui vous rend unique, bref vos forces. Les personnes consultées étant parfois partiales ou complaisantes, ou ayant tout simplement un regard particulier de vous, il est toutefois possible que le résultat de votre enquête soit imprécis.

Explorer les ressources disponibles dans Internet

La seconde approche consiste à chercher des ressources fiables et accessibles dans Internet, fondées sur des recherches scientifiques. Elles vous fourniront un vocabulaire significatif de talents et de points forts.

Cerner vos talents dominants à l'aide de *StrengthsFinder 2.0*

La troisième approche, que nous vous recommandons et qui nous servira dans nos exemples, consiste à faire appel à une méthode éprouvée reposant sur *StrengthsFinder 2.0,* un bestseller du New York Times écrit par Tom Rath dans la foulée d'une première édition intitulée *Now, Discover Your Strengths* de Marcus Buckingham et Donald Clifton, alors directeur de la firme Gallup et l'inventeur de la méthode *StrengthsFinder.* Cette méthode répertorie 34 forces ou «points forts» selon autant de thèmes, et vous propose une évaluation à même de faire ressortir celles qui vous distinguent, soit vos cinq talents dominants. Plus de 15 millions de personnes dans le monde se sont déjà prévalues de cette méthode.

Aussi bien *StrengthsFinder 2.0* que la version française de *Now, Discover Your Strengths (Découvrez vos points forts)* renferme un code d'accès exclusif qui permet de remplir le questionnaire en ligne (en moins de 30 minutes) et d'obtenir immédiatement un rapport personnalisé sur vos talents distinctifs, accompagné d'un guide d'actions pour tirer parti de chacun d'eux. Le questionnaire peut être rempli en français, mais le rapport n'est fourni qu'en anglais. Il est également possible d'acheter en ligne un code d'accès exclusif, sans le livre, à www.strengthsfinder.com, ou encore en utilisant ce lien raccourci pour y accéder directement : bit.ly/29XO1fJ.

Il s'agit là d'un investissement en temps et en argent vraiment minime pour acquérir un précieux coffre au trésor pouvant vous aider à mieux vous connaître et vous mettre en valeur !

D'autres excellentes sources pour mieux cerner ce qui vous distingue

Pour pousser plus loin l'exploration de vos forces, d'autres outils sont également disponibles. Par exemple :

- Via *Character Strengths*. Y sont répertoriées 24 forces de caractère issues de recherches du Dr Martin Seligman, le père de la psychologie positive : www.viacharacter.org.

- *StandOut* de Marcus Buckingham, qui fait émerger les rôles distinctifs dans lesquels une personne peut davantage utiliser ses forces et se démarquer : www.tmbc.com.

Les talents dominants de Newton

Notre accompagnateur, Isaac Newton, vous livre ici ses cinq talents dominants. Le sachant quelque peu absorbé par le travail, le résultat est pour le moins révélateur!

1. *Idéateur :* fasciné par les idées. Une idée inspire un lien qui conduit vers une autre idée. Pensées créatives et originales.
2. *Analytique :* «Prouvez-le» est son dicton. Capacité à chercher et à établir des tendances et des rapports entre les choses.
3. *Réalisateur :* besoin constant de réaliser quelque chose de tangible pour être satisfait. Capacité de travail incroyable.
4. *Studieux :* stimulé par l'amélioration continue et le processus d'apprentissage.
5. *Activateur :* transforme des pensées en actions. Impatient d'agir.

Et vous, quels sont vos talents dominants?

– AVERTISSEMENT –

Ce livre vous offre d'accéder à un trésor.
La clé pour l'ouvrir est entre vos mains.
Découvrir vos talents dominants vous permettra
d'intégrer pleinement ce qui suit.
À vous de jouer!

Un moment de réflexion
Mes talents dominants

Choisissez la formule qui vous convient, mais faites sérieusement l'exercice qui consiste à déterminer vos cinq talents dominants. Mes talents dominants sont :

1. ....

2. ....

3. ....

4. ....

5. ....

PASSEZ À L'ACTION !

Découvrez vos talents

Vous avez investi 15, 20, peut-être même plus de 25 ans de votre vie à l'école et en formation pour acquérir et développer vos connaissances (savoir) et vos compétences (savoir-faire). Et ce n'est jamais terminé ! Que diriez-vous d'investir aussi dans vos talents ?

Avoir conscience de vos talents dominants vous permet-tra de les mettre à contribution pour atteindre vos objectifs. Investir en eux augmentera votre taux de réussite. Les talents ressemblent à des semences : ils ont besoin d'éclairage, d'arrosage, d'un terrain fertile et d'attention pour grandir !

Vous avez fait émerger vos talents dominants à l'aide de *StrengthsFinder* ou d'une autre approche ? Excellent ! Continuons.

Un moment de réflexion

Je mets des mots sur chacun de mes talents

Cet exercice vise à aller plus loin. Il s'agit de vous approprier vos talents en les décrivant dans vos propres mots. L'avantage ? Avoir un vocabulaire varié et personnel pour pouvoir exprimer facilement vos talents dominants.

Utilisez au moins trois synonymes, phrases ou expressions pour décrire chacun de vos talents dominants. Le rapport de *StrengthsFinder* – ou une autre source – vous fournira quelques pistes en ce sens.

TALENTS DOMINANTS	SYNONYMES, PHRASES ET EXPRESSIONS ÉQUIVALENTS
Exemple d'un talent de Newton : **Réalisateur**	• Travaille fort et avec énergie • Productif • Toujours prêt à entreprendre plus d'activités

Je mets des mots sur chacun de mes talents (suite)	
1.	
2.	
3.	
4.	
5.	

Développez votre neuroplasticité ! Au cours des prochains jours, revenez lire la liste des synonymes, phrases et expressions qui décrivent vos talents dominants. Votre cerveau y aura plus facilement accès par la suite !

Le plus ancien des trois préceptes gravés à l'entrée du temple de Delphes il y a plus de 2500 ans, le fameux « Connais-toi toi-même » socratique, assigne à l'homme le devoir de prendre conscience de sa propre mesure.

La conscience de soi est d'ailleurs le premier ingrédient de l'intelligence émotionnelle, dont les bienfaits et les impacts sont bien documentés par Daniel Goleman depuis 1995. La conscience de soi est un prérequis à la maîtrise de soi et aux habiletés relationnelles, qui sont les autres ingrédients de l'intelligence émotionnelle, le tout formant un ensemble de compétences qui distinguent les leaders ayant un impact positif.

CE QU'IL FAUT RETENIR

- Il est de notre responsabilité de faire connaître le meilleur de nous-mêmes – notre trésor.
- Nous avons tous au moins cinq talents dominants.
- Des outils comme *StrengthsFinder* sont à votre portée pour vous aider à découvrir vos talents distinctifs.

2. Réveillez le 6ᵉ talent

*«Me réveiller chaque jour et jouer de mon mieux
les cartes qui m'ont été distribuées.»*

Rebecca Wells

LA CARTE AU TRÉSOR

Il est bientôt 20 heures. Vous attendez fébrilement l'arrivée de votre groupe préféré sur scène. Les voilà! Génial! Le concert va enfin commencer.

Dès les premières notes, votre esprit s'emballe et vous vous demandez: «Comment peuvent-ils être si bons? Qu'est-ce qui les a amenés à faire de la musique au départ? Qu'ont-ils fait pour être reconnus et qu'est-il arrivé pour qu'ils deviennent célèbres, pour être là où ils sont maintenant? Ils sont certainement doués, mais il doit y avoir autre chose. La chance? Probablement. Quoi d'autre?»

La réponse est assez simple. Ils ont, par-dessus tout, un talent tout à fait particulier, celui d'exceller à faire savoir et sentir au monde entier qu'ils sont bons dans ce qu'ils aiment faire. Et ils réussissent à en faire une partie intégrante de leur vie, pour leur plus grand bonheur et celui de leurs admirateurs aussi! Ils affichent ouvertement leurs talents distinctifs et il est devenu naturel pour eux de les mettre en lumière chaque fois qu'ils en ont l'occasion. Bref, les membres du groupe ont le 6ᵉ talent, celui de faire valoir leurs talents dominants.

La vie est précieuse, et les talents qui nous sont donnés le sont aussi, comme un trésor. Parce que nous méritons de prospérer, de faire une différence et d'avoir une influence positive sur les personnes, les organisations et la communauté, il est de notre devoir de faire connaître et reconnaître la valeur de notre trésor. Alors seulement pourrons-nous avoir un impact réel et durable.

Comment atteindre un niveau élevé de performance et de satisfaction à même de produire un impact significatif et soutenu ? Une formule très simple permet d'y arriver, aussi simple que de lire une carte au trésor avec ses traits pointillés et son gros « X ».

Trop beau pour être vrai ? Pas du tout. La science et les meilleures pratiques nous montrent clairement la voie : il suffit de prendre l'habitude de faire valoir ses talents.

ON A TOUS LE 6ᴱ TALENT

Le 6ᵉ talent, c'est le levier qui vous permet de déployer avec force vos cinq talents dominants.

Pour la plupart d'entre nous, ce talent est en état de dormance et attend patiemment de se faire réveiller pour agir. Il en va d'ailleurs de même des talents dominants, qu'un grand nombre de personnes ignorent toujours. En prendre conscience, c'est comme ouvrir un œil au son du réveil ; mais pour avoir un impact significatif, il ne faut pas s'arrêter là, il faut se lever et agir.

Pour avoir un impact significatif, il faut agir.

Un moment de réflexion

Mon 6ᵉ talent est-il endormi ou réveillé ?

Encerclez vos choix de réponse de la façon suivante :

1. En désaccord 2. Peu d'accord 3. Moyennement d'accord
4. Assez d'accord 5. Tout à fait d'accord

Vous ne pouvez pas nommer sans hésiter vos cinq talents dominants.	1	2	3	4	5
Vous travaillez fort à corriger ce qu'on appelle vos faiblesses.	1	2	3	4	5
Vous souhaiteriez augmenter votre impact, mais vous ne savez pas comment vous y prendre.	1	2	3	4	5
Vous avez le sentiment que vous pourriez avoir plus de satisfaction au travail et dans votre vie privée.	1	2	3	4	5
Les gens qui vous entourent ne connaissent pas vraiment bien vos talents et vos points forts.	1	2	3	4	5
Vous avez tendance à ne pas parler de vos talents.	1	2	3	4	5
Vous êtes reconnu pour autre chose que vos talents.	1	2	3	4	5
Total général : *(additionnez les chiffres encerclés)*					

7 à 14 : Plutôt réveillé

15 à 27 : Entre le sommeil et l'éveil

28 à 35 : Plutôt endormi

Avant tout, une décision s'impose

Il arrive trop souvent qu'on assiste à une formation ou qu'on lise un livre proposant une nouvelle façon de faire ou un moyen d'atteindre son objectif sans donner suite à ce qu'on vient d'apprendre. Si inspirant ou révélateur que puisse être le message, il doit être assorti d'un ingrédient clé, et cet ingrédient, c'est la décision d'appliquer ce qu'on a appris.

Pour que le 6e talent livre ses promesses et ses bienfaits, il faut prendre la décision d'agir et s'engager à le faire. En psychologie sociale, on décrit l'engagement comme l'ensemble des conséquences d'un acte sur le comportement et les attitudes. Il en découle qu'une décision engagée à mettre en œuvre votre 6e talent aura un effet marqué sur votre façon de faire les choses et sur les résultats qui en découleront.

Prendre une décision engagée n'est pas toujours facile. Il se peut, par exemple, que cela vous semble trop complexe ou trop exigeant, notamment s'il vous faut acquérir des connaissances qui vous obligent à retourner sur les bancs d'école. Il se peut aussi que le temps requis pour en retirer un bénéfice vous paraisse trop long. Soyez toutefois immédiatement rassuré. Le 6e talent ne requiert aucune formation fastidieuse, et ses bienfaits sont pratiquement instantanés. Il vous suffit de comprendre et d'appliquer les forces qui assurent son déploiement.

LA FORMULE DU 6E TALENT DÉVOILÉE

Une théorie sans formule demeure une théorie.

LES DESSOUS DE LA POMME

Contrairement à ce que l'on pourrait penser, la pomme n'a jamais été un objet de recherche pour notre ami Newton. Elle n'a été qu'un catalyseur, qu'un élément déclencheur qui lui a permis de déterminer la force responsable du maintien de la lune dans son orbite autour de la terre.

La lune était de fait l'objet sur lequel son esprit était fixé. La chute d'une pomme ne fit que provoquer une série de réflexions qui l'amenèrent à la conclusion que la force d'attraction gravitationnelle agissant sur la pomme devait être, toutes proportions gardées compte tenu de la distance, la même que celle qui maintenait la lune en orbite. Newton conçut alors une équation pour valider ses idées sur la gravitation. Cette équation explique la loi de la gravitation, aussi appelée loi de l'attraction universelle, et stipule que la force de gravité est inversement proportionnelle au carré de la distance entre deux objets.

En ce qui concerne le 6ᵉ talent, ce fut, bien modestement, un peu la même chose. Nous nous disions plus ou moins tacitement : « Il est fort intéressant de connaître ses talents, mais on en fait quoi maintenant ? » Or, c'est en mobilisant nos talents dominants — l'idéation et l'approche stratégique dans le cas de Martin, la soif d'apprentissage et la maximisation dans le cas de Carole — que nous avons découvert comment nous servir de nos talents dominants pour avoir un impact plus significatif.

La formule du 6ᵉ talent

Notre réflexion a porté principalement sur les moyens concrets de produire un impact durable et de laisser sa marque. Nous avons vite compris qu'à eux seuls, nos talents dominants ne pouvaient faire tout le boulot. Il devait nécessairement exister quelque chose de plus, un facteur multiplicateur à même de déclencher le plein potentiel de nos talents dominants en leur donnant une nouvelle impulsion.

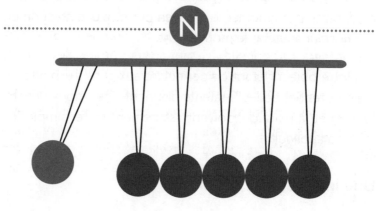

LE PENDULE DE NEWTON

L'étincelle est venue, non pas d'une pomme, mais bien du pendule de Newton. Ce pendule, bien connu, est composé de cinq à six billes, et son fonctionnement étonnant se fonde sur le principe des actions réciproques. En soulevant et en relâchant une première bille, celle-ci vient percuter les cinq autres billes et provoque un transfert d'énergie à la dernière bille qui se soulève à son tour et revient percuter les cinq billes qui avaient repris leur position initiale. La première bille s'élève à nouveau, d'elle-même cette fois, et le transfert d'énergie qui se répète en une succession d'aller-retour crée un mouvement quasi perpétuel. Un mouvement qui résulte d'une double action, ou plutôt d'une action et d'une réaction.

....

Pour avoir un effet durable, le 6ᵉ talent doit lui aussi combiner action et réaction. Nous avons besoin d'une impulsion de départ pour amorcer le mouvement et d'une réaction en retour pour soutenir le mouvement.

Notre objectif étant de permettre aux gens d'exploiter le plein potentiel de leurs talents distinctifs, ces mouvements, l'action et la réaction, doivent assurément rester simples et faciles à appliquer.

Une impulsion : l'action

Comment donner une impulsion à quelque chose d'aussi intangible que des talents? Ils ont beau être dominants, on ne peut pas lancer un talent, non plus que le pousser. Et si cette impulsion venait simplement du fait de les nommer, de les exprimer avec force? L'impulsion qui crée l'impact initial et qui amorce le mouvement consiste en effet à faire valoir ses talents dominants. L'idée est simple : si vous gardez pour vous l'existence de vos talents dominants, vous ne pourrez vous en servir comme levier.

> L'impulsion qui crée l'impact initial et qui amorce le mouvement consiste à faire valoir ses talents dominants.

Au chapitre suivant, nous explorerons pourquoi et comment l'expression de vos talents constitue l'impulsion par excellence pour déployer vos talents dominants.

Un engagement émotif : la réaction

Pour faire perdurer un mouvement, il faut s'y engager émotivement. Il s'agit donc d'ancrer en nous-même l'habitude de faire valoir nos talents dominants. Si vous ne vous engagez pas émotivement, vous aurez beaucoup de difficulté à intégrer cette habitude, si bien qu'au moindre obstacle, vous retournerez à vos vieux plis.

Pour bien comprendre l'engagement émotif, reprenons la métaphore d'Hervé Sérieyx concernant le petit-déjeuner aux œufs et au bacon : «Dans un petit-déjeuner œufs-bacon, la poule est impliquée, mais le cochon, lui, est engagé !» L'engagement ne permet pas le retour en arrière. L'aspect émotif réside dans le geste volontaire de vous engager. Autrement dit, de vouloir pour vrai.

L'habitude de faire valoir ses talents maintient donc le mouvement. Elle ne demande aucune motivation additionnelle et que très peu de concentration, puisqu'une habitude bien ancrée devient comme une seconde nature.

Pour faire perdurer un mouvement, il faut s'y engager émotivement.

Au chapitre 4, vous découvrirez les étapes clés qui vous permettront de créer l'habitude de faire valoir vos talents. Ensuite, pour vous assurer d'un succès durable, vous trouverez au chapitre 5 comment faire de votre cerveau un allié pour déployer votre 6ᵉ talent.

LES TALENTS SONT DES MULTIPLICATEURS

Quand on parle de formules à Newton, son intérêt s'éveille.

Les talents sont des multiplicateurs. Le 6ᵉ talent est donc forcément lui aussi un multiplicateur. Si l'impulsion consiste à faire valoir ses talents dominants et si l'engagement émotif consiste à intégrer cette nouvelle habitude, la logique nous amène à simplifier l'équation comme ceci :

IMPACT DÉCUPLÉ

=

HABITUDE DE FAIRE VALOIR SES TALENTS

5 TALENTS DOMINANTS EN ACTION

Une formule simple est d'autant plus percutante qu'elle se retient facilement par cœur. Comme celle de Newton ou celle de son lointain collègue Einstein : Énergie = Masse X Vitesse de la lumière au carré ($E = MC^2$). Donc, pour le 6ᵉ talent, que diriez-vous de : $I = HT^5A$? Il y a là de quoi emballer M. Newton, non ?

UN PETIT MOT SUR L'IMPACT

Le 6ᵉ talent n'a pas la prétention de faire de vous le prochain Steve Jobs, Nelson Mandela ou Oprah Winfrey. Il vous donne simplement un moyen de vous rapprocher de votre propre objectif et de ce que devrait idéalement être un impact positif pour vous.

Plusieurs d'entre nous désirent faire une différence, créer de grandes choses, être un influenceur, ou même plus simplement aller au bout de leur fameux potentiel. En réveillant et en activant votre 6ᵉ talent, vous vous donnerez la possibilité d'atteindre votre idéal de réalisation. Vous pourrez ainsi avoir plus d'impact et laisser votre marque à la mesure de votre ambition et du meilleur de vous-même.

Il ne vous reste maintenant qu'à décider d'agir. Combien de temps faut-il pour en voir les effets ? Plus vite vous débutez, plus vite vous en verrez les effets. Prêt à lancer le mouvement ?

PASSEZ À L'ACTION !

Rétroaction sur vos talents dominants

Notre ami Newton nous rappelle que pour chaque action, il existe une réaction égale ou proportionnelle. C'est une loi ! En fait, il s'agit de la troisième des trois lois du mouvement de Newton énoncées dans son ouvrage *Philosophiae naturalis principia mathematica*. Vous pouvez dès lors concevoir que l'activation de vos talents dominants (action) génère nécessairement un retour potentiel (réaction).

ACTION-RÉACTION

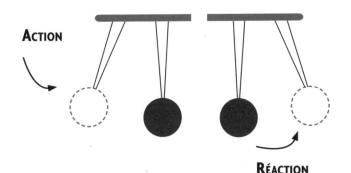

ACTION

RÉACTION

L'activation de vos talents dominants génère nécessairement un retour potentiel.

La rétroaction s'avère l'outil par excellence pour découvrir cette réaction.

Partagez ce que vous venez d'apprendre sur vous-même avec vos proches, vos amis ou vos collègues de travail. Dites-leur que vous venez d'identifier vos cinq talents dominants. Servez-vous des mots, synonymes et phrases de l'exercice du chapitre 1 et observez leur réaction. Vous pourriez être agréablement surpris !

Cette rétroaction vous aidera à mieux concevoir en quoi vos talents dominants peuvent devenir des outils puissants pour votre développement et vous aider à avoir plus d'impact.

Il y a deux types de rétroaction à considérer pour prendre pleinement conscience de votre capital de talents : la rétroaction externe et la rétroaction interne.

Un moment de réflexion
Rétroaction externe

Comment réagissent les gens à l'énoncé de vos talents ? Observez leurs réactions. Vous ont-ils reconnu dans ces mots ? Quels commentaires ont-ils formulés ?

TALENT ÉNONCÉ	RÉACTIONS
....	....
	....
	....
	....
	....
	....
	....
....	....
	....
	....
	....
	....
	....
	....

Un moment de réflexion
Rétroaction interne

Qu'est-ce que vous éprouvez ? Observez vos propres réactions lorsque vous nommez vos talents dominants. Comment vous êtes-vous senti à les présenter ? Qu'avez-vous ressenti en voyant la réaction de vos interlocuteurs ou en entendant leurs commentaires ?

TALENT ÉNONCÉ	VOS RÉACTIONS
....	....
	....
	....
	....
	....
	....
	....
....	....
	....
	....
	....
	....
	....
	....

....	....
	....
	....
	....
	....
	....
	....
....	....
	....
	....
	....
	....
	....
	....
....	....
	....
	....
	....
	....
	....

CE QU'IL FAUT RETENIR

- Nous avons tous le 6ᵉ talent.
- Il faut réveiller notre 6ᵉ talent pour promouvoir nos talents dominants.
- Le 6ᵉ talent est un multiplicateur. La formule en est : Impact décuplé = Habitude de faire valoir ses talents X 5 talents dominants en action.

3. Exprimez vos talents

«*Exprimer ses talents pour répondre à des besoins spécifiques crée une richesse et une abondance illimitées.*»

Deepak Chopra, *Les sept lois spirituelles du succès*

EXPOSER LE TRÉSOR

Imaginez que votre cerveau est une commode avec des milliers, voire des millions de petits tiroirs. Imaginez que chaque tiroir contient quelque chose, un mot, un souvenir, une association de mots, une image ou une association d'images. Maintenant, imaginez-vous plaçant dans les tiroirs du cerveau de votre patron, de vos collègues, de vos clients et de votre entourage les mots, les images et les associations qui représentent vos talents dominants. Vous occupez ainsi l'espace avant que votre interlocuteur ne le fasse avec des images ou des mots divergents. Et cet espace, ce tiroir, ne pourra être occupé par rien d'autre que ce que vous y aurez mis. Car le cerveau est souvent paresseux. Il ne fera pas spontanément l'effort de voir si autre chose peut être mis dans ce tiroir. Il ne prendra pas la peine de peser le pour et le contre de ce qu'il entend. Il l'acceptera tout simplement pour toujours ou l'oubliera presque immédiatement.

Il est difficile de se défaire d'idées préconçues, d'autant plus qu'elles deviennent rapidement des croyances. Occuper ces espaces avec vos talents dans l'esprit des gens permet donc d'influencer leurs croyances.

Ce phénomène est évident en publicité. Quand une marque s'approprie un mot, ce mot ne peut plus être repris par une marque concurrente. Le consommateur, lui, fait l'association du mot et de la marque presque immédiatement, sinon automatiquement. On n'a qu'à penser à «On trouve de tout, même un ami» des pharmacies Jean Coutu ou à «Parce que je le vaux bien» de L'Oréal. Avouez que ce serait gênant pour les concurrents d'utiliser les mêmes formules et qu'il est très facile pour le consommateur d'y reconnaître la marque.

Comment donc exposer le trésor de vos talents dominants pour susciter un impact positif important, pour vous comme pour les gens qui vous entourent? La réponse est simple: il s'agit d'exprimer haut et fort les talents qui vous distinguent. Faire valoir ses talents est l'un des moyens les plus efficaces pour marquer l'esprit des personnes clés de votre entourage.

Voyons maintenant les meilleures stratégies pour faire valoir vos talents.

FAIRE VALOIR SES TALENTS : DES PRINCIPES SIMPLES

Exprimer clairement vos talents, c'est en quelque sorte déclarer votre authenticité et communiquer ce qui vous distingue. C'est offrir et exposer ce que vous avez de mieux... votre zone d'excellence.

Offrez et exposez ce que vous avez de mieux... votre zone d'excellence.

Votre zone d'excellence est cet espace où vous brillez tout particulièrement non seulement par vos talents, mais aussi par vos valeurs, votre attitude, vos compétences et votre raison d'être. Des talents connus et reconnus par vos pairs, une attitude généreuse et positive, et des valeurs manifestes dans vos comportements vous assurent de ne laisser personne indifférent et d'avoir un plus grand impact. Mise en lumière, votre zone d'excellence vous rend reconnaissable et incomparable!

Dans leur livre *Impact*, Yvon Chouinard et Nicole Simard rappellent d'ailleurs de belle façon «qu'il importe de savoir quelle valeur vous représentez et comment vos talents, votre leadership et votre personnalité peuvent contribuer à générer des résultats positifs [...] Les gens qui ont de l'impact savent ce qu'ils apportent comme contribution. Cette connaissance d'eux-mêmes est à la base de leur capacité à se faire valoir en toutes circonstances.»

LES INGRÉDIENTS DE VOTRE ZONE D'EXCELLENCE

1. *Talents*. Capacités naturelles d'aisance, d'aptitude remarquable, de prédisposition, de brio, de virtuosité, de savoir-faire.

2. *Attitude*. Ensemble des comportements que l'on adopte.

3. *Valeurs*. Règles importantes que l'on se donne. Ce sont nos grands principes de vie et nos motivations profondes.

4. *Compétences*. Tout notre savoir-faire acquis par la formation et l'expérience.

5. *Raison d'être*. Le but, la cause ou la croyance qui vous inspire à faire ce que vous faites et qui donne un sens à votre vie. Votre essence!

Faire valoir vos talents et mettre à l'avant-scène votre zone d'excellence n'est pas une chose très complexe ni très difficile à faire. Il suffit de mettre en pratique quatre principes simples et faciles à retenir :

- se définir;
- être cohérent;
- être constant;
- garder le cap.

Chaque fois que vous appliquerez ces principes au quotidien, vous en récolterez de précieux effets et surtout beaucoup de satisfaction. Pourquoi ? Tout simplement parce que ces quatre principes vous ramènent à la base de qui vous êtes. Ce faisant, vous devenez très efficace à communiquer ce en quoi vous êtes bon et mettez à l'avant-plan vos talents et votre zone d'excellence, votre trésor.

Gardons en tête qu'un principe, s'il n'est pas compris, demeure une idée, un concept. C'est lorsqu'on le comprend vraiment qu'on peut profiter de son potentiel.

C'est Archimède, ce grand savant grec de l'Antiquité, qui disait : *« Donnez-moi un point d'appui et je soulèverai le monde ! »*

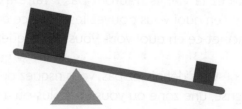

Mais attention, d'une idée ou d'un concept, on ne retire rien si on ne le met pas en application.

....

Voici comment tirer parti des quatre principes énoncés pour exprimer vos talents.

Premier principe : se définir

Se définir, c'est faire le choix d'un discours crédible, c'est occuper l'espace, le tiroir qui vous est attribué dans l'esprit des gens auxquels vous vous adressez afin d'être reconnu pour ce que vous êtes. Se caractériser, c'est influencer l'autre et l'amener à accepter les mots que vous utilisez.

> Se caractériser, c'est influencer l'autre et l'amener à accepter les mots que j'utilise.

Pourquoi se définir est-il si important ? Voyez ça comme un geste d'altruisme. Oui, vous avez bien lu : vous distinguer constitue en réalité une marque de générosité. Les gens que vous côtoyez chaque jour ont beaucoup de choses en tête, sans parler de leurs préoccupations. Difficile de leur demander de chercher à deviner en quoi vous pouvez leur être utile. En vous caractérisant, vous leur faciliterez la vie; ils n'auront pas à faire d'effort pour découvrir ce en quoi vous pouvez les aider, ce en quoi vous êtes efficace et ce en quoi vous vous démarquez.

Si vous ne vous définissez pas, vous risquez de rester dans une zone grise, une zone où vous êtes plus ou moins visible, ou encore que les gens vous attribuent des mots et une posi-tion erronés. Ce serait un peu comme être laissé dans l'ar-rière-boutique d'un magasin ou être placé sur une mauvaise tablette ou, pire, une mauvaise section du magasin.

Pas si facile de vous définir, croyez-vous ? Quels mots devez-vous choisir pour occuper la place que vous souhaitez dans l'esprit des gens ? Se caractériser est plus simple que vous pou-vez le croire ; vos talents distinctifs sont l'outil tout indiqué pour le faire. Ils sont naturellement tout indiqués parce qu'ils font déjà partie de vous et qu'ils sont authentiques.

Votre combinaison de talents représente un actif précieux. Exprimer vos talents quand le contexte est favorable et relié à une action à entreprendre permet aux gens de faire l'associa-tion entre vous, votre talent et la tâche à accomplir. Vous n'aurez aucune difficulté à livrer la marchandise, car vos talents constituent autant de capacités naturelles, innées.

Quand on prend la peine d'exprimer ce en quoi on est talentueux à ses collègues, partenaires ou amis, on occupe une place précise dans leur l'esprit. Par exemple, lors de la distribution des tâches particulières à un projet, Philippe, qui possède le talent de maximisation, peut dire : «Je pourrai prendre le relais après la première ébauche ; je suis particuliè-rement efficace pour rendre meilleur ce qui est déjà bon.» Se définir de cette façon, en nommant ses talents et ce qui les caractérise, c'est les faire valoir !

Deuxième principe : être cohérent

Une fois que l'on sait comment se présenter, il faut éviter de tout saboter en adoptant un discours et des actions incohérents. L'absence de contradiction dans le discours est la marque d'un être cohérent.

La contradiction, c'est quand on affirme quelque chose alors qu'on fait le contraire. C'est quand nos prétentions ne tiennent pas la route ou, en bon québécois, quand les bottines ne suivent pas les babines.

Par exemple, après avoir clamé sur toutes les tribunes qu'il était particulièrement efficace pour améliorer ce qui est déjà bon, Philippe insiste pour faire partie des rencontres de démarrage du projet et se propose même pour le remue-méninges ! Ses collègues ne peuvent qu'en être perplexes.

Même inconsciente, l'incohérence laisse une impression de floue. Et de cette contradiction naît la confusion. De façon générale, on fuit les situations confuses et on préfère se priver de quelque chose plutôt que de se retrouver dans une situation floue et incohérente.

Pour bien comprendre ce phénomène, vous n'avez qu'à imaginer la confusion comme l'ombre ou l'obscurité, soit une zone incertaine qu'on préfère éviter. À l'inverse, la lumière ou la clarté met en confiance et rassure. Entre l'ombre et la lumière, l'humain préfère généralement la lumière.

Souvenons-nous quand, enfant, nos parents nous demandaient d'aller chercher quelque chose à la cave. Pour certains, cet endroit sombre était effrayant, et aussitôt que nous avions mis la main sur l'article demandé, nous remontions à toute vitesse pour éviter de nous y attarder. Lorsque la situation est confuse, le même réflexe s'active et, même si nous sommes devenus adultes et raisonnables, nous prenons nos jambes à notre cou et nous déguerpissons.

Si vous vous appuyez sur vos talents dominants pour vous définir clairement et si vous tenez un discours cohérent, les gens seront attirés par la lumière que vous pouvez leur apporter. La cohérence et la clarté favorisent l'engagement des gens envers vous.

La cohérence et la clarté favorisent l'engagement des gens envers vous.

Troisième principe : être constant

Vous vous êtes défini et vous avez un discours cohérent qui amène la clarté et met les gens autour de vous en confiance. Il vous reste encore du chemin à faire avant de créer l'impact souhaité, à commencer par être constant.

La constance, c'est la régularité des actions et leur durée dans le temps. Ce n'est pas en exposant vos talents dominants une seule fois que vous marquerez les gens. Comme mentionné plus tôt, les gens ont toutes sortes de préoccupations et vaquent d'une affaire à l'autre sans trop porter attention à ce qui se passe autour d'eux. Vous devez donc les toucher plus d'une fois avec vos talents pour les marquer de façon permanente et être ainsi reconnu pour ce que vous êtes et ce que vous valez réellement.

La constance, c'est la régularité des actions et leur durée dans le temps.

Prenons un exemple. Sauriez-vous mémoriser les paroles d'une chanson dès la première écoute ? Sauf exception, il vous faudra plusieurs écoutes avant de pouvoir chanter autre chose que des *nananas* entrecoupés d'un mot correct ici et là. Que retient-on spontanément en tout premier lieu ? Le refrain! Ces trois ou quatre bouts de phrase qui reviennent à répétition et qu'on prend plaisir à chanter... suivis du *nanana* des couplets qu'on peine toujours à se rappeler.

Il en va de même lorsque vous attestez vos talents. Si les gens n'entendent votre message – votre refrain – qu'une seule fois, les chances sont grandes pour qu'ils l'aient complètement oublié dans les jours, les heures ou même les minutes qui suivent. Mais si, à chaque contact avec vos vis-à-vis, ils entendent le même refrain, ils deviennent en mesure de vous associer à votre message. Et votre nom surgira spontanément dans leur esprit quand le besoin de vos talents se présentera. Si au contraire votre message varie au gré de vos rencontres, vous entonnez chaque fois un refrain différent, et la seule chose dont les gens se souviennent, ce sont les *nananas*. Pour être reconnu, il faut être reconnaissable. C'est l'évidence même!

La constance, c'est aussi faire preuve de persévérance. Adopter un refrain qui met nos talents en lumière et le maintenir peut toutefois paraître ardu. On a d'ailleurs parfois l'impression que le message met du temps à être compris et accepté. Rappelez-vous cependant que «Rome ne s'est pas construite en un jour», comme le dit le dicton. Restez optimiste. Vous mesurerez très bientôt l'impact de vos talents distinctifs sur votre entourage.

Quatrième principe : garder le cap

Vous vous êtes maintenant clairement défini et vous avez un discours cohérent que vous répétez de façon constante. Il faut maintenant vous assurer de garder le cap, de ne pas vous laisser détourner de votre mission, qui est d'accroître votre impact — tant pour vous-même qu'autour de vous — et de laisser votre marque.

> La focalisation est l'art de concentrer votre énergie et vos ressources sur votre intention, sur ce qui vous définit et sur votre message.

Pour garder le cap, vous devez vous exercer à focaliser, à concentrer votre énergie et vos ressources sur votre intention, sur ce qui vous définit et sur votre message. Enfant, on nous a montré qu'en utilisant une loupe et en concentrant les rayons du soleil, on pouvait arriver à enflammer un bout de papier. Si on restait immobile et bien concentré sur un point précis, le feu prenait très rapidement. Mais si on bougeait un tant soit peu, il était impossible d'arriver à produire la chaleur nécessaire pour enflammer le bout de papier. Il en va de même de l'expression de vos talents. Vous devez concentrer énergie et ressources vers un seul point. Le soleil représente la conjugaison de vos ressources en temps et des gestes que vous posez pour vous faire connaître et reconnaître. La loupe représente quant à elle votre message, votre définition de vous-même. Et tout doit passer par cette loupe pour obtenir le maximum de résultats.

Ne vous laissez pas distraire. Rester concentré, c'est aussi apprendre à dire «non» à tout ce qui vous éloigne de votre intention. Dire «oui» à tout et accepter des projets pour plaire ou pour accroître vos revenus à court terme pourrait en effet vous coûter cher à long terme. Votre message perdra en clarté et en force, et vous aurez plus de difficulté à enflammer vos interlocuteurs.

Gardez le cap avec des messages cohérents!

Bref, pour avoir plus d'impact et laisser votre marque, vous devez:

1. vous définir clairement à l'aide de vos talents dominants;
2. communiquer votre message, votre positionnement, de façon cohérente;
3. exprimer vos talents de façon constante;
4. rester concentré afin d'éviter les pièges qui diluent votre message.

LES EFFETS ÉTONNANTS DE L'EXPRESSION DES TALENTS

METTRE SES TALENTS EN LUMIÈRE

Angleterre, 1666. La pièce est sombre, mais elle sera bientôt entièrement obscure et l'expérience pourra commencer. Voilà, c'est fait! Isaac Newton se dirige vers la fenêtre et perce un petit trou dans le volet. Un fin rayon de lumière pénètre alors dans la pièce. Lorsque la lumière blanche du soleil traverse le prisme que Newton s'était procuré pour faire son expérience, un effet spectaculaire se produit. La lumière blanche se décompose en six couleurs distinctes !

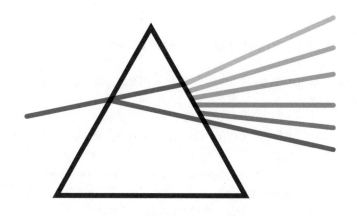

Exposer ses talents à la lumière du jour et les dévoiler en les faisant passer à travers le prisme des quatre principes à appliquer pour les faire valoir procure aussi des effets surprenants, six au total :

1. Assurance
2. Valeur perçue
3. Crédibilité
4. Attraction
5. Liberté
6. Satisfaction

Ces effets, loin d'être éphémères, perdurent dans le temps et gagnent même en force. Autre particularité, vous n'aurez pas à attendre pour en bénéficier, les effets étant presque immédiats.

L'assurance

Lorsque vous exprimez vos talents haut et fort, vous êtes naturellement en confiance et vous avez la conviction que vous serez en mesure d'accomplir la tâche ou le projet qui vous sera confié. Vous agissez avec assurance, et par le fait même, vous êtes convaincants. Craintes et hésitations se dissipent alors chez ceux qui requièrent vos talents, tout comme en vous.

La valeur perçue

La mise en lumière de vos talents a pour effet d'augmenter sensiblement votre valeur aux yeux des gens qui vous côtoient, pour la simple et bonne raison que vous influez directement sur la perception de votre valeur en présentant ce que vous avez de mieux à offrir. En valorisant vos talents, vous garantissez en quelque sorte le rendement du capital investi par vos vis-à-vis. Ils vous font confiance et vous livrez la marchandise, parce que vos talents sont innés et authentiques.

La crédibilité

Le mot «crédibilité» vient du latin *credere*, qui veut dire «croire». La crédibilité ne se construit que sur du vrai. Votre crédibilité constitue un actif non seulement à maintenir, mais à faire fructifier. Puisque voir c'est croire, votre assurance et votre constance dans vos dires et vos gestes en sont les meilleurs gages. Vos talents dominants sont vrais, de sorte que leur mise en valeur contribue positivement à votre crédibilité.

L'attraction

Si un problème ou un besoin se présente qui nécessite vos talents – préalablement mis en lumière par vos soins –, les gens seront interpellés et attirés par vous, tel un aimant. Plus vous faites valoir vos talents, plus l'effet d'attraction s'intensifie. Vous aidez les intéressés à vous choisir le moment venu. C'est un peu comme dans l'ancien slogan des saucisses Hygrade : «Plus de gens en mangent parce qu'elles sont plus fraîches, et elles sont plus fraîches parce que plus de gens en mangent.»

La liberté

Quel drôle d'effet ! Comment pouvez-vous avoir plus de liberté en faisant valoir vos talents ? Tout simplement parce que le fait d'être conscient de vos forces et d'exposer clairement vos talents vous donne la possibilité de choisir. Avoir le choix de dire oui ou non en fonction de vos talents est un cadeau. Et si, pour une raison ou une autre, vous n'avez pas le choix de faire ce qu'on vous demande, vous comprendrez d'où provient votre insatisfaction.

La satisfaction

En vous définissant, vous aidez votre entourage à vous situer et vous vous aidez vous-même à choisir les mots qui mettent vos talents en valeur. Cela a pour effet de rehausser votre niveau de satisfaction parce que vous avez plus de facilité à promouvoir ce qui est important et à faire en sorte d'être choisi pour vos talents. Vos talents ainsi exprimés deviennent comme des guides, et la vie s'en trouve simplifiée, ce qui contribue à accroître encore plus votre satisfaction.

Bref, la mise en valeur de vos talents vous donnera une direction claire, un mode d'emploi précis qui vous guidera dans le choix des actions et des mots requis pour convaincre vos interlocuteurs et intensifier votre impact. L'expression de vos talents conjuguée aux quatre principes que sont 1) se définir, 2) être cohérent, 3) être constant et 4) garder le cap, multiplie les impacts positifs sur vous-même, sur votre vie, sur votre carrière et sur le monde qui vous entoure.

Avoir le choix de dire oui ou non en fonction de vos talents est un cadeau.

Un moment de réflexion
Ce qui m'importe le plus

Lequel ou lesquels de ces effets souhaitez-vous plus particulièrement maximiser à court terme ?

Encerclez vos choix. Expliquez pourquoi.

PLUS D'ASSURANCE	
	....
	....
	....
	....
	....
	....
	....

Ce qui m'importe le plus (suite)

Plus grande valeur perçue	....
Plus de crédibilité	....
Plus d'attraction	....

PLUS DE LIBERTÉ DE CHOIX	....
PLUS DE SATISFACTION	....

MYTHES SUR L'EXPRESSION DES TALENTS

Il y a beaucoup d'idées préconçues sur la mise en lumière des talents. Reste que, comme on l'a vu, l'expression du meilleur de soi constitue une déclaration sincère et généreuse. Faire valoir ses talents, c'est assurer la véracité de ce que l'on a à offrir, et c'est aussi manifester clairement un trait de caractère, une aptitude. Nous avons donc tout intérêt à démythifier les croyances limitantes à propos de la mise en valeur de nos talents avant de convenir d'approches simples et efficaces pour exprimer nos talents.

Mythe n° 1
Faire valoir ses talents, c'est se vanter

«Reste humble.» «Ne fais pas ombrage aux autres.» Voilà un refrain que nous avons tous déjà entendu. En général, les vantards de ce monde n'ont pas bonne presse, et on ne veut surtout pas leur ressembler. La vantardise, c'est l'habitude de se glorifier avec excès de ses qualités ou de ses actions. Et cela n'a rien à voir avec l'aspiration à devenir et à être le meilleur dans son domaine, ni à faire valoir ce qu'on a réellement à offrir. Se glorifier et se présenter sont des comportements totalement opposés.

Faire valoir ses talents, c'est se donner la permission de faire connaître ses atouts aux autres avec l'intention de les amener à en profiter. Il existe d'ailleurs des approches éprouvées pour parler de ses talents avec assurance en évitant toute perception de vantardise.

Mythe n° 2
Exposer ses talents est arrogant

L'arrogance est une attitude qui se manifeste par des manières hautaines et blessantes. Comment pouvez-vous éviter d'être perçu comme prétentieux ou arrogant? En développant votre 6ᵉ talent!

Lorsque vous exposez vos talents, vous parlez sans prétention ni insolence puisque votre objectif est de partager votre fierté et d'informer les autres de la façon dont vous pouvez contribuer positivement à une situation. Avez-vous déjà remarqué à quel point partager sa fierté peut être contagieux?

Mythe n° 3
Dévoiler ses talents relève de la pensée magique

La présentation claire de nos talents peut, à tort, être associée à la répétition de phrases telles que «j'ai confiance en moi» et «je suis capable», dont certains maîtres à penser encouragent la pratique pour nous convaincre nous-mêmes de nos possibilités. En fait, il n'y a rien de mal à nourrir des pensées positives, bien au contraire. Ce qui importe ici, c'est d'apprécier le fait que l'expression de vos talents a pour objectif d'en faire bénéficier les autres. C'est aussi de vous définir de façon constante, cohérente et crédible dans des situations favorables au déploiement de vos talents.

> Se glorifier et se présenter sont des comportements totalement opposés.

Bien que l'expression de vos talents ne garantisse pas un accueil spontané, nous verrons au chapitre 6 comment réunir les éléments favorables à la mise en lumière de vos talents.

Mythe n° 4
Exprimer ses talents reflète un manque d'authenticité

Introduire une nouvelle façon de s'exprimer ou d'agir peut nous donner l'impression que cela sonnera faux auprès des gens que nous côtoyons. C'est là une croyance qui limite notre épanouissement, puisque nos comportements et notre essence sont deux choses distinctes.

> Nos comportements et notre essence sont deux choses distinctes.

Avez-vous déjà remarqué ce qui se passe quand quelqu'un que vous connaissez bien se met à converser en anglais ? Son ton de voix change et sa façon d'exprimer ses idées aussi. C'est le propre d'une autre langue. Est-ce que cela signifie que cette personne est moins authentique pour autant? Poser la question, c'est y répondre. Les premières fois que vous exprimerez vos talents, vos interlocuteurs pourront de même remarquer chez vous un nouveau mode d'expression. Après tout, ils ne vous ont jamais entendu parler de vos talents de cette façon, ou même de vos talents tout court! «À l'œuvre on connaît l'artisan», disait Jean de la Fontaine.

Affirmer, c'est déclarer la vérité, tout simplement.

Maintenant que ces mythes sur l'expression des talents sont réfutés, il est temps de passer à l'action. Voici trois approches simples, stratégiques et inspirantes pour attester vos talents avec assurance, en toute authenticité et sans arrogance. Après tout, exprimer vos talents vous permet d'exposer et d'offrir votre trésor!

APPROCHES STRATÉGIQUES POUR EXPRIMER VOS TALENTS

Approche n° 1
Offrir le meilleur de soi

Voici des exemples concrets d'une approche positive que les gens apprécieront.

Quand un de vos talents dominants est d'être stratégique, vous pouvez affirmer:

- «J'excelle quand je m'implique dès le début d'un projet.»
- «On me dit souvent que je suis créatif pour trouver des options et la meilleure voie à suivre.»

Pour mettre en lumière un talent de maximisation, vous pouvez déclarer :

- « Je donne le meilleur de moi-même dans des situations qui demandent de s'élever à un niveau d'excellence. »
- « Je suis particulièrement efficace quand il y a un besoin d'amélioration. »

Nous sommes loin de l'arrogance, n'est-ce pas ?

Approche n° 2
Faire profiter les autres de ses talents

Cette autre variante fait appel à la notion de bienfaits pour les autres. Par exemple, quand l'un de vos talents dominants est d'être studieux, avide d'apprendre, vous pouvez dire :

- « Je souhaite contribuer au succès de l'équipe grâce à mon aptitude à apprendre et à faire des recherches. »
- « Je veux que vous puissiez bénéficier de mon talent de chercheur pour étudier les occasions qu'offre le marché américain. »

Vous avez le talent de garder le cap sur les objectifs, de focaliser la discussion ? Voici quelques formulations avantageuses :

- « Au cours de la réunion de demain, je pourrais mettre à profit ma facilité à garder le cap en aidant les gens à se fixer un objectif de groupe et un échéancier pour l'atteindre. »
- « J'ai du plaisir à collaborer et à mettre de la clarté dans un projet. »

Saviez-vous que notre niveau de dopamine, ce neurotransmetteur du bonheur, monte déjà avec la perspective d'être davantage dans notre zone d'excellence ?

Approche n° 3
Occuper la bonne place dans le cerveau de l'autre

Revenons à la neuroscience et à l'image des tiroirs dans le cerveau. Il s'agit de placer dans les tiroirs les bons mots clés pour que l'autre y ait accès en temps voulu. Par exemple, si l'un de vos talents dominants est l'idéation, vous pouvez affirmer:

- «Lorsque tu as besoin d'un collègue habile à trouver des solutions innovantes, tu peux m'appeler.»
- «Pour repérer les liens et les connexions, je t'invite à venir me voir.»

Et pour mettre de l'avant un talent de charisme, vous pouvez dire:

- «Si tu cherches un ambassadeur pour faire rayonner le département, pense à utiliser mes talents relationnels.»
- «Lors d'un 5 à 7 d'affaires, tu peux compter sur moi pour faire de nouveaux contacts.»

Il est maintenant presque temps de passer à l'action. Mais avant, permettez-nous de vous raconter quelques-unes de nos propres expériences.

L'expression des talents en action. L'histoire de Martin

À l'été 2012, ma collègue Carole m'a parlé de StrengthsFinder, un test qui permet de déterminer nos cinq talents dominants. Curieux et empressé d'en savoir et surtout d'en comprendre davantage, je me lance et je fais le test. Très simple: une série de questions à choix multiples auxquelles on répond l'une à la suite de l'autre. Voilà le résultat que j'ai obtenu:

IDÉATION • INTELLECTUALISME • RESPONSABILITÉ
CONNEXION • STRATÉGIQUE

Vraiment très intéressant, étant donné le secteur d'activité dans lequel j'évolue, soit celui de l'image de marque et du design graphique.

Prendre conscience de mes talents dominants fut une révélation pour moi. Cela m'a notamment permis de comprendre pourquoi, dans certaines situations, j'avais plus ou moins de satisfaction. À l'inverse, en songeant à d'autres situations, j'étais à même de constater que l'exercice d'un seul de mes talents dominants pouvait suffire à m'apporter de la satisfaction dans le cadre d'une activité donnée. Et que lorsque plus d'un talent était mis à contribution, le bonheur n'en était que plus intense.

Cela dit, si la prise de conscience de mes talents a été très importante, c'est quand je suis passé en mode valorisation que cela a eu le plus gros impact sur ma carrière et ma vie en général. Dès l'instant où j'ai déclaré à mes clients que mon talent d'idéation serait plus profitable pour eux s'ils me parlaient de leurs projets dès le début, ou que mon talent stratégique me permettait de trouver des solutions sans perdre de vue l'ensemble du projet, ils ont commencé à faire plus souvent appel à moi en misant sur les talents dont je leur avais fait part. Plus j'exprimais mes talents, plus j'obtenais des mandats qui me permettaient de les mettre à profit. Et ces nouveaux mandats augmentaient ma satisfaction.

De quelle façon est-ce que j'exprimais mes talents ? Simplement en utilisant des mots qui avaient du sens et qui soulignaient le ou les talents que je voulais mettre de l'avant. Par exemple :

- *« Avant d'aller plus loin, il serait important de réfléchir à l'ensemble du projet. »*
- *« D'un point de vue stratégique, la meilleure solution serait... »*
- *« Si l'on fait des liens entre vos différentes activités, vous devriez opter pour... »*

L'impact sur mon entreprise ? Faire valoir mes talents a augmenté ma crédibilité et ma valeur aux yeux des clients. Ils me proposent aujourd'hui plus de projets qui font appel à mes talents distinctifs et contribuent ainsi à me procurer plus de satisfaction dans ma vie professionnelle.

• • •

L'expression des talents en action. L'histoire de Carole

Lorsqu'au début de 2011, je me procure pour la première fois le livre StrengthsFinder 2.0 – j'en achèterai par la suite des dizaines d'exemplaires pour mes clients –, le livre reste sur mon bureau pendant six mois, dans la pile des dossiers à traiter. Quand je décide enfin de prendre les trente minutes requises pour remplir le questionnaire en ligne, j'obtiens une récompense immédiate : la révélation déterminante de mes cinq talents dominants, de ce qui me représente si bien. Il va sans dire que je regrette d'avoir retardé cet exercice si utile.

Avec beaucoup d'intérêt et de passion, j'étudie le phénomène sous toutes ses facettes. Vous l'aurez deviné, l'apprentissage fait partie de mes talents distinctifs. J'obtiens en effet :

MAXIMISATION • RELATIONNEL • FOCALISATION
STUDIEUX • RESPONSABILITÉ

Je comprends alors que cette information aura un impact majeur dans ma vie et possiblement sur celles d'autres personnes. Prendre conscience de mes forces, mettre des mots sur ce qui était inconscient, et même sur des capacités que je ne considérais pas nécessairement comme des talents, me permet de voir plus clair.

Le premier impact positif a été de m'amener à modifier le modèle d'affaires de ma pratique de coaching. Dorénavant, j'allais travailler par choix avec des dirigeants et des professionnels performants désireux de passer à un niveau d'excellence plus élevé. Pourquoi? Parce que mon talent de maximisation me permet de contribuer à faire passer de «très bien» à «excellent». C'est tout à fait naturel pour moi, et je réalise à quel point ça me donne de l'énergie lorsque je choisis des situations propices à la mise en œuvre de mon aptitude.

Le deuxième impact positif a été de faire profiter mes talentueux clients de cet outil précieux. Donner au suivant est tellement important! Et ce n'est pas tout. En travaillant étroitement avec Martin à l'expression de l'image de marque dans le cadre de ma pratique, j'ai commencé à intégrer l'expression de mes talents dans mon discours. Entre autres, en rencontre avec une vice-présidente en gestion des talents dans une grande institution financière de Montréal, j'écoute mon intuition et lui déclare au cours de notre conversation:

- *«Je livre le meilleur de moi-même comme coach lorsque je travaille avec des personnes performantes qui veulent passer à un autre niveau, car j'ai le talent de maximisation.»*

Pas plus tard que le mois suivant, je reçois un appel. Cette vice-présidente a repéré dans son organisation un dirigeant qui souhaite travailler avec un coach, et elle a pensé à moi parce que, dit-elle, «il s'agit d'un contexte de maximisation»! La rencontre avec le dirigeant en question a confirmé le verdict, et mes talents ont été mis à son service pendant la démarche de coaching.

Action-réaction, comme le dit si bien Newton. Le fait d'avoir exprimé mon talent, sans prétention, a été reçu positivement et a visiblement facilité la vie de cette vice-présidente au moment de jumeler efficacement un coach à un de ses collègues. Cela a aussi contribué à augmenter ma crédibilité et celle de ma cliente dans son organisation, ce qui a également eu pour effet d'augmenter notre valeur perçue. En prime, j'ai gagné de l'assurance et j'ai eu du plaisir en attirant un mandat dans ma zone de talents.

C'est gagnant-gagnant, et ça m'a encouragée à refaire l'expérience.

• • •

PASSEZ À L'ACTION!

Rien de mieux que la pratique pour développer un talent. Voici une façon toute simple d'amorcer la mise en valeur de vos talents.

Expérimentez! Dans les jours à venir, saisissez les occasions d'exercer l'expression de vos talents à partir des approches proposées. Observez les réactions!

Un moment de réflexion

Exprimer mes talents dans l'action

Nommez cinq occasions ou événements où vous pourriez mettre vos talents en valeur dans les prochains jours (au travail ou autre) :

Occasions ou événements	Quel talent exprimer ?

CE QU'IL FAUT RETENIR

- Il existe plusieurs façons de présenter vos talents, sans arrogance, pour mettre votre trésor en valeur.

- Se définir, être cohérent, être constant et garder le cap sont les grands principes de l'expression des talents.

- Les effets de l'expression des talents sont impressionnants, comme les six couleurs de la lumière qui traverse un prisme.

4. Prenez l'habitude de faire valoir vos talents

«La personne née avec un talent qu'elle est destinée à utiliser trouvera le plus grand bonheur en l'utilisant.»

Johann Wolfgang von Goethe

LE TRÉSOR SE RÉVÈLE

Les pierres précieuses ont la capacité de briller dans l'obscurité de la nuit, même si elles ne sont éclairées que par un petit quartier de lune. Disposées le long d'un chemin, ces pierres peuvent ainsi tracer la voie aux voyageurs. Il en va de même de vos talents. C'est en les mettant bien en vue, en les exposant et en les exprimant que vous pourrez faire rayonner votre trésor. Un trésor n'est-il pas fait pour briller, autant pour soi que pour les autres ?

Rappelons qu'en ne mettant vos talents dominants en lumière qu'une seule fois, vous n'obtiendrez pas un impact durable. Une fois, c'est déjà bien, mais pour susciter de nouvelles possibilités, il vous faut saisir toutes les occasions de les faire valoir. En d'autres mots, vous devez en faire une habitude.

Un talent ou une force se développe en l'exerçant. De quelle façon pouvez-vous incarner votre discours sur vos talents pour permettre à ce trésor de se révéler ?

Voyons d'abord ce qu'il en est de l'habitude et ce que la science nous en dit pour mieux comprendre en quoi elle peut servir au mieux nos intérêts.

FAIRE SIENNE UNE NOUVELLE HABITUDE : LE SECRET

En 1992, nous avons commencé à envoyer des textos. Au début des années 2000, certains d'entre nous lisaient leurs courriels sur un téléphone intelligent. Depuis 2013, nous lisons *La Presse+* sur notre tablette. Et plus récemment encore, nous déposions nos premiers chèques sur notre portable, et ce gratuitement ! De façon consciente ou inconsciente, nous avons développé ces habitudes, aujourd'hui intégrées et bien ancrées.

Il doit en être de même de la mise en lumière de vos talents. Car, une fois leur expression bien ancrée, elle génère des effets plus grands. On pourra donc mesurer le niveau d'ancrage de votre nouvelle habitude en mesurant l'ampleur des impacts créés !

Intégrer un nouveau poste, accepter de nouvelles responsabilités, se joindre à un groupe, incorporer des apprentissages, adopter une nouvelle technologie, assimiler une nouvelle langue... Nous faisons tous face à des enjeux d'appropriation plus ou moins ambitieux. Par contre, savons-nous toujours ce qui nous a permis d'ancrer une nouvelle habitude ? Connaître les rouages de l'habitude et les étapes clés pour implanter une nouvelle habitude peut faire toute la différence en ce qui concerne nos succès futurs.

- Vos talents doivent être exposés.
- Faire valoir vos talents doit devenir une habitude.

Pour que le 6e talent se déploie comme un vrai talent, il est primordial d'ancrer l'habitude d'exprimer vos talents. Et pour ce faire, vous devez d'abord décider d'adopter cette nouvelle habitude, autrement dit d'incorporer de nouveaux comportements dans votre quotidien jusqu'à ce qu'ils deviennent naturels.

Pour quelle raison est-il si crucial de faire valoir ses talents ? Pour certains, il s'agira de nourrir des motivations profondes, de donner un sens aux talents reçus et de les développer, alors que pour d'autres, il s'agira de devenir un meilleur leader ou parent, d'avoir une plus grande influence, de rehausser sa propre performance et, pourquoi pas, d'avoir plus de satisfaction au quotidien.

Lorsqu'on connaît la manière efficace d'exprimer ses talents distinctifs, on doit veiller à ce que ce nouveau comportement devienne naturel. Un talent, quoi ! C'est ainsi qu'on peut jouir de tout ce qu'un talent peut apporter : aisance, brio, capacité, facilité, ingéniosité, virtuosité... Alors que l'expression des talents déclenche un effet multiplicateur, l'habitude de les faire valoir rend cet effet durable.

Pourquoi développer votre 6e talent ? Essentiellement pour déployer vos talents dominants de manière à accroître votre impact et à faire votre marque en laissant un héritage durable. Comment ? En développant l'habitude de les faire valoir. Tout simplement. Il va toutefois sans dire que ce n'est pas parce que c'est simple que c'est facile.

Déverrouiller le 6e talent

Saviez-vous qu'au moins 45 % des gestes que nous posons chaque jour sont dus non pas à des décisions, mais bien à des habitudes ? C'est presque la moitié !

Pour maîtriser l'ancrage d'une nouvelle habitude, il s'avère stratégique de comprendre ce qui est à l'origine d'une habitude. Comment une habitude se forme-t-elle ? Charles Duhigg nous dévoile le secret dans *The Power of Habit*.

On peut imaginer une habitude comme un cycle perpétuel ponctué de trois étapes clés :

- L'élément déclencheur
- L'action
- La récompense

Prendre conscience d'une habitude. Le cas de Catherine

Catherine est dermatologue dans une clinique privée. Lorsqu'elle est à son bureau et qu'elle constate qu'il est onze heures (l'élément déclencheur), elle se lève et va se chercher un cappuccino (l'action). Elle expérimente alors le plaisir d'une pause (récompense).

Au fil du temps, cette boucle devient de plus en plus automatique. La récompense et l'élément déclencheur deviennent tellement interreliés qu'une envie irrésistible d'aller chercher un café émerge et l'habitude s'installe. Lorsque se crée l'habitude d'une action donnée, le cerveau cesse de participer à la décision et passe en pilote automatique pour cette action. Ce choix écologique lui permet en effet d'économiser de l'énergie. En développant une habitude, nous donnons un répit au cerveau, qui peut ainsi utiliser le glucose, son carburant principal, pour d'autres tâches. On appelle «morcelage» cette aptitude du cerveau à découper des activités en habitudes plus faciles à gérer. Pensons, par exemple, à un numéro de téléphone à mémoriser. Il est beaucoup plus facile de se souvenir de 888.987.65.43 que de la série 8889876543. Sans les habitudes, le cerveau serait littéralement débordé par les activités quotidiennes, ce qui entraînerait des surchauffes et des courts-circuits.

L'envie irrésistible qui surgit lors de la création d'une habitude est ce qui donne du pouvoir à une habitude. Se pencher sur la partie récompense du cycle élément déclencheur – action – récompense de l'habitude dégage une nouvelle perspective. Dans l'habitude de Catherine d'aller se chercher un café vers onze heures, la récompense se traduit par une pause, un arrêt, un recul qui lui permet de remettre ses idées en place, de renouveler son énergie et même d'alimenter sa créativité. Catherine ne se pose plus la question; vers onze heures, elle va se chercher un café; elle passe en pilote automatique et son cerveau aussi.

Le cerveau peut devenir accro à certaines habitudes, qu'elles soient saines ou non. Ainsi, pour la même récompense et le même déclencheur, Catherine pourrait, toujours autour de onze heures, aller faire une petite marche de 10 minutes ou aller remplir son thermos d'eau de source... surtout si elle a déjà avalé trois cafés depuis le début de la journée! Il faut donc rester vigilant face aux habitudes qu'on développe, les bonnes comme les moins bonnes. Et nous pouvons apprendre comment mieux maîtriser nos habitudes en étant conscients du cycle des trois étapes clés d'une habitude.

Il en va de même de nos talents. Puisqu'ils sont naturels – comme une habitude –, nous pouvons tomber dans le piège de l'inconscience et du pilote automatique. Tout en développant des automatismes stratégiques, rester conscients de nos intentions est un prérequis au déploiement efficace de nos talents dominants, y compris de notre 6e talent.

● ● ●

S'AFFIRMER EN CRÉANT UNE NOUVELLE HABITUDE

Voici une méthode simple pour faire valoir vos talents dominants. Elle reprend les étapes clés d'une habitude et ne demande qu'un peu d'entraînement.

1. Visualisez la récompense, soit un ou plusieurs effets positifs qui découleront de l'expression de vos talents dominants.

2. Identifiez un ou plusieurs éléments déclencheurs efficaces.

3. Exercez-vous à mettre en lumière un de vos talents selon une approche qui vous convient et... célébrez les impacts perçus!

Comme pour les athlètes, l'entraînement conduit à la performance !

Visualiser la récompense

Vous vous rappelez les six effets de la mise en valeur de vos talents ? Comme les six couleurs réfléchies par le prisme à partir d'un faisceau lumineux, les effets de la mise en valeur de vos talents sont vos récompenses.

Un moment de réflexion

Je visualise les récompenses que je reçois

Parmi les six effets de la mise en valeur de vos talents, lesquels représentent de véritables récompenses dans votre esprit ?

1. Gagner de l'assurance et de la confiance en soi	
2. Augmenter votre valeur perçue	
3. Accroître votre crédibilité	
4. Exercer de l'attraction : amener les autres à penser à vous pour vos talents	
5. Avoir la liberté de choisir	
6. Rehausser votre niveau de satisfaction et de fierté – de même que celui des autres autour de vous !	

Déterminer un déclencheur efficace

La science vient à nouveau à notre rescousse. Des chercheurs ont démontré qu'un élément déclencheur se présente presque toujours :

- dans un lieu donné ;
- à un moment précis ;
- dans un état émotionnel particulier ;
- en compagnie de certaines personnes ;
- comme suite à une action posée par soi-même ou par un tiers ;
- en présence d'un repère visuel.

En ce qui concerne la mise en valeur de vos talents dominants, l'établissement d'un élément déclencheur constitue un bon point de départ pour savoir quand démarrer le cycle. Il pourrait, par exemple, s'agir d'un endroit précis au travail ou à la maison, d'un moment particulièrement propice, d'une émotion positive comme la fierté, d'une personne avec laquelle vous êtes à l'aise, d'une question posée par un interlocuteur et favorisant l'expression d'un talent qui vous distingue... Qu'est-ce qui vous vient à l'idée ?

Un moment de réflexion
Mes éléments déclencheurs

Qu'est-ce qui déclenchera chez vous la mise en valeur de vos talents ? À vous de jouer !

Par exemple, quand on me pose la question : « Qu'est-ce que tu en penses ? »

Par exemple, ...
....
....
....
....

Par exemple, ...
....
....
....
....

Par exemple, ...
....
....
....
....

Par exemple, ...
....
....
....
....

Pratiquez la mise en valeur de vos talents et célébrez-en les impacts

Une fois les récompenses et les éléments déclencheurs possibles identifiés, les quatre grands principes de l'expression des talents que nous avons vus au chapitre précédent doivent guider l'ancrage de cette habitude.

1. **Se définir :** se positionner, s'assurer d'occuper le bon espace (tiroir) dans l'esprit des autres pour leur simplifier la vie lorsqu'ils ont besoin de nos talents.

2. **Être cohérent :** uniformiser son discours.

3. **Être constant :** répéter son message comme un refrain (pas trop, juste assez !).

4. **Garder le cap :** concentrer son énergie et ses ressources sur l'intention et le message.

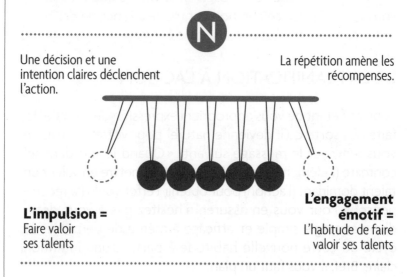

Une décision et une intention claires déclenchent l'action.

La répétition amène les récompenses.

L'impulsion =
Faire valoir
ses talents

L'engagement émotif =
L'habitude de faire
valoir ses talents

Lorsqu'on ne prend pas l'habitude de faire valoir ses talents, c'est comme si la dernière boule du pendule de Newton restait en l'air et cessait du coup de revenir frapper les autres boules pour perpétuer le mouvement. S'approprier des façons de présenter ses talents, c'est permettre le transfert d'énergie répété du mécanisme action-réaction.

Saviez-vous que pour effectuer un changement ou intégrer un nouveau comportement, une image est beaucoup plus efficace que des mots ? La visualisation des émotions et des impacts positifs résultant de l'habitude à ancrer vous poussera à l'action. Votre 6e talent n'attend que vous pour se déployer et servir de levier à vos talents dominants. Les récompenses en valent vraiment la peine, tant pour vous que pour les gens qui vous entourent, voire pour vos organisations, vos clients et vos partenaires.

Il est par ailleurs important de savourer et de célébrer les impacts positifs que vous observez de même que ceux qu'on vous témoigne. La célébration contribue à l'ancrage des nouvelles connexions créées dans votre cerveau.

DE LA PLANIFICATION À L'ACTION

L'objectif étant de vous approprier l'expression de vos talents, faites en sorte qu'il devienne naturel pour votre cerveau de vous renvoyer le message suivant : « Quand je suis dans tel contexte (l'élément déclencheur), je dois mettre en valeur un talent dominant (l'action) pour obtenir l'effet voulu (la récompense). » Pour vous en assurer, n'hésitez pas à vous doter d'une stratégie simple et efficace à même de perpétuer le cycle de cette nouvelle habitude à partir d'une intention claire. Bref, il vous faut un plan.

Le plan. Le cas d'Alexandre

Alexandre est un comptable agréé spécialisé en fiscalité dans un grand cabinet. Il a déterminé que les réunions mensuelles avec l'équipe du service de marketing de sa firme constituent un bon déclencheur pour présenter ses talents. Quel est son plan ? Tout d'abord, il prévoit une note de rappel à son agenda. Selon les sujets annoncés à l'ordre du jour, il se préparera à attester un de ses talents dominants pour en faire bénéficier l'équipe. À titre d'exemple, le mois prochain, la réunion comportera une discussion sur les enjeux des réseaux sociaux. Alexandre pourra alors rappeler à ses collègues qu'il aimerait mettre à profit son talent d'activateur pour transformer les idées de la rencontre en pistes d'action, et ainsi contribuer à faire avancer plus vite les projets retenus. Résultat ? Il sera fier d'être utile à ses collègues, verra sa valeur perçue augmenter et fera d'une pierre deux coups en gérant son impatience lorsque le groupe restera un peu trop longtemps à son goût dans la phase remue-méninges ! À force de s'exercer, Alexandre développe une envie irrésistible de faire valoir ses talents et de faire briller son trésor.

• • •

En langage moderne, la première loi de Newton, qui porte sur le principe de l'inertie, s'exprime ainsi : «Tout corps isolé qui n'est soumis à aucune sorte d'interaction avec d'autres objets matériels conserve l'état de repos ou de mouvement rectiligne uniforme (MRU) qu'il possédait auparavant.»

En nous appuyant sur des faits, nous pouvons exercer une force positive sur notre 6e talent et l'encourager à sortir de son « état de repos ». Forts des clés de l'appropriation d'une nouvelle habitude, explorons donc maintenant certaines croyances courantes ainsi que les réalités correspondantes au sujet des nouvelles habitudes. Question de mettre toutes les chances de notre côté !

À PROPOS DES HABITUDES : CROYANCES ET RÉALITÉS

Croyance n° 1
Il faut 21 jours pour développer une nouvelle habitude

Saviez-vous que cette croyance répandue nous vient du Dr Maxwell Maltz ? Dans les années 1950, ce chirurgien plastique constatait que ses patients mettaient environ 21 jours à s'habituer à leur nouveau visage après une chirurgie du nez !

Subséquemment, une étude de la chercheure Philippa Lally de l'University College de Londres a démontré qu'en moyenne deux mois s'écoulent avant qu'un nouveau comportement devienne automatique − 66 jours pour être plus précis. Mais n'allons pas tout de suite lancer cette nouvelle croyance, puisque dans la même étude, les gens avaient, dans les faits, mis entre 18 et 254 jours à adopter une nouvelle habitude !

Qu'à cela ne tienne, nous savons maintenant que le cerveau n'a besoin que de trois répétitions d'une action pour amorcer le processus dit de «potentialisation à long terme». Autrement dit, trois répétitions suffisent pour commencer à agir sur les circuits nerveux propres à former une habitude dans le cerveau. C'est ce que nous confirme David Rock dans *Brain at Work*, son excellent ouvrage couvrant plusieurs travaux scientifiques en neurologie. Avec *Le 6e talent*, nous avons d'ailleurs nous-mêmes expérimenté le phénomène des trois répétitions avec des résultats surprenants et très mobilisateurs.

Si nous avons réussi à développer une certaine habitude, c'est que nous avons été attentifs à une certaine action que nous avons répétée. Chaque fois que nous portons une attention particulière à une action ou une activité – ou même une pensée –, nous favorisons dans le cerveau la création de nouveaux circuits nerveux. La fameuse neuroplasticité! Tout comme les sillons de plus en plus creux formés dans la neige par les pneus des voitures sur les routes d'hiver, ces nouveaux circuits automatiseront bientôt une nouvelle habitude. Vous rappelez-vous combien de temps vous a demandé l'habitude de lire vos courriels le matin?

Croyance n° 2
Quand on veut, on peut!

À l'occasion, peut-être. Mais la plupart du temps, il faut plus que de la volonté et de la motivation pour intégrer une nouvelle habitude. Un élément déclencheur et une récompense sont nécessaires pour mettre le cycle de l'habitude en mouvement.

B.J. Fogg, chercheur et professeur à l'Université de Stanford, le vulgarise bien : une très grande volonté ou motivation est requise pour les activités à haut niveau de difficulté par rapport à nos habiletés – par exemple, pour la plupart d'entre nous, réussir 100 redressements assis ! Un élément déclencheur a alors peu de chances de succès sans une volonté de fer.

Un élément déclencheur et une récompense sont nécessaires pour mettre le cycle de l'habitude en mouvement.

Lorsque l'habitude à développer relève plutôt d'une habileté maîtrisée, le degré de volonté requis diminue substantiellement, si bien que l'élément déclencheur devient alors le facteur le plus important. Fogg nous rappelle que la pratique de microhabitudes, surtout si elles requièrent moins de 60 secondes, augmente de manière significative le taux de succès de l'appropriation. Et c'est une bonne nouvelle, puisque la mise en valeur d'un talent ne demande que quelques secondes, tout au plus le temps d'une pause publicitaire !

LE DÉCLENCHEUR ET LA VOLONTÉ
MODÈLE COMPORTEMENTAL DE FOGG

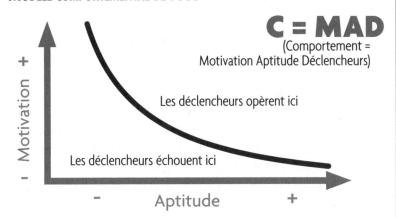

C = MAD
(Comportement = Motivation Aptitude Déclencheurs)

Les déclencheurs opèrent ici

Les déclencheurs échouent ici

+ Motivation -

- Aptitude +

Avec une touche d'humour, Fogg nous invite à amorcer une habitude par des gestes extrêmement simples, par exemple un redressement assis, puis deux, puis trois… Il va encore plus loin en démontrant que la mise à profit d'une habitude existante aide grandement le développement d'une nouvelle habitude. Pour créer l'habitude de rayonner davantage dans les réseaux sociaux, par exemple, nous pouvons envoyer à notre cerveau la commande suivante : «Après le dîner, je vais prendre cinq minutes pour consulter LinkedIn et partager des liens inspirants.» À condition, bien sûr, d'avoir l'habitude de dîner! Il y a plus ici que le fait de vouloir poser le geste. Le déclencheur facilite l'appropriation de l'habitude. Trois répétitions, et hop! Le processus d'intégration est enclenché. Il en va d'ailleurs de même du 6e talent, où il s'agit de rendre naturelle la mise en valeur de ses talents!

Les croyances et les réalités à propos des habitudes étant dorénavant mises en lumière, il est temps de se mettre en mouvement. Imaginez les effets positifs que vous produirez en prenant l'habitude de faire valoir vos talents! Mais laissez-nous d'abord partager candidement avec vous des expériences que nous avons vécues dans nos entreprises respectives en prenant cette habitude.

L'habitude de faire valoir ses talents. L'histoire de Martin

C'est par l'exercice qu'on atteint la maîtrise.

Marcher est devenu pour moi une habitude bien ancrée, je dirais même presque un rituel. Au début, c'était pour me remettre en forme, et ça me demandait énormément d'effort. Je n'arrivais d'ailleurs pas à y aller tous les jours — trop de choses importantes à faire, trop froid, trop chaud, trop venteux... trop d'excuses. Puis j'ai eu l'idée d'essayer d'écouter un livre audio en marchant pour rendre l'exercice plus agréable. Bingo! Le désir de connaître la suite de l'histoire me poussait chaque matin à chausser mes espadrilles et à braver les éléments. Je ne sais pas si c'est la marche ou l'écoute de livres audio que j'ai intégrée – probablement les deux –, mais peu importe, je bouge et j'apprends.

L'expression de mes talents dominants a suivi un parcours plus ou moins semblable. Jour après jour, à force de m'y exercer toujours un peu plus et dans différents contextes, j'en suis venu à voir plus facilement les situations dans lesquelles mes talents dominants pourraient être utiles, ou encore les phases d'un projet où je pourrais intervenir avec plus d'impact. L'exercice répété de la mise en valeur de mes talents m'a rendu, tel un aimant, attirant et attiré par les occasions prometteuses.

Et ce n'est pas tout! À ma grande surprise, je me suis bientôt rendu compte que l'expression régulière de mes talents transformait mon offre de service à mes clients. Sur fond d'agence d'image de marque, j'ai en effet spontanément développé de nouveaux services inspirés et soutenus par mes talents distinctifs. L'accompagnement stratégique, comme le nom le dit, met de l'avant mon talent à aider mes clients à trouver des solutions adaptées à la vision globale d'un projet. J'ai également créé de toutes pièces une méthode – « l'affirmation de marque » – qui permet aux entreprises de se positionner efficacement dans leur marché. Cette méthode met à contribution mes talents à créer des liens (connexion), à dégager plusieurs options (stratégique) et à faire émerger de nouvelles idées (idéation).

Ces deux nouveaux services de mon entreprise représentent un changement majeur pour moi. Bien que ce soit parfois déstabilisant et que ça me sorte de ma zone de confort, je me sens en confiance dans cette transformation professionnelle parce qu'elle est le fruit de l'expression de mes talents dominants et qu'elle m'amène dans ma zone d'excellence. C'est comme si j'avais un guide, un mentor qui me rassure tout au long de mon parcours. Ainsi secondé par mes talents, j'ai même élargi ma zone de confort et je me sens plus en confiance de repousser les limites que je m'étais fixées.

Cette transformation a eu sur mon entreprise d'importantes répercussions. Elle a non seulement augmenté ma valeur aux yeux des clients, mais aussi rehaussé en moi le sentiment de contribuer à leur développement et de faire une réelle différence. C'est ce que j'appelle un impact significatif!

• • •

L'habitude de faire valoir ses talents. L'histoire de Carole

Ça prend un élément déclencheur!

Il y a environ cinq ans, lorsque j'ai voulu commencer à pratiquer la méditation le matin, j'étais un peu sceptique quant à ma capacité de rester disciplinée et de réussir. Il y a tant à faire le matin! J'avais besoin d'un rappel qui m'aiderait à incorporer la méditation à ma routine. Eh bien, c'est après m'être brossé les dents et avoir médité immédiatement après que j'ai commencé à faire un lien. Méditer après m'être brossé les dents m'apportait immédiatement un sentiment de calme et de force avant de me lancer dans le feu de l'action. J'avais trouvé mon déclencheur! Avec le temps, cette habitude s'est installée, et elle fait maintenant partie de mon rituel matinal. Elle est même devenue essentielle, tout comme me brosser les dents.

Il en a été de même de l'expression de mes principaux talents. L'impact révélateur de ma première expérience de mise en valeur a piqué ma curiosité, et j'ai tôt fait de constater qu'une rencontre offrait une belle occasion de présenter un ou plusieurs de mes talents dominants, selon la teneur de l'entretien, bien entendu. Chaque fois que je rencontrais un client potentiel, un partenaire ou même un collègue, je me rappelais d'attester un de mes talents dans la conversation, avec l'intention d'être le plus utile possible à cette personne. L'idée était de répéter l'expérience assez souvent pour créer une empreinte dans mon cerveau.

Par exemple, lors d'une rencontre exploratoire avec une dirigeante en vue d'une démarche de coaching, j'ai affirmé qu'elle pouvait profiter de ma capacité à garder le cap sur les objectifs. Or, c'est justement l'un des éléments que cette gestionnaire souhaitait développer. Résultat? J'ai vraiment le sentiment d'être utile là où ça compte. D'autre part, si la personne a besoin de talents différents des miens, faire valoir ses talents a le mérite de le clarifier.

L'expression de mes talents est devenue naturelle après quelques exercices concluants. Les résultats positifs sont au rendez-vous! Non seulement les gens voient rapidement où et comment je peux représenter une valeur pour eux, mais je constate une facilité à exposer mes talents ainsi qu'une plus grande satisfaction dans mes interventions. Les gens apprécient visiblement la fierté que je partage avec eux. Mon approche au développement des affaires et à la collaboration a du coup évolué vers une plus grande réciprocité.

C'est tellement simple, et à la fois tellement puissant. Voilà donc une nouvelle habitude que je continue de renforcer. Elle m'assure de belles retombées et permet à plus de gens de bénéficier concrètement de mes talents distinctifs. Cela éveille d'ailleurs une réflexion en moi. Comment pourrais-je pousser plus loin mon 6ᵉ talent en trouvant de nouveaux éléments déclencheurs pour faire valoir mes talents dominants ? Je vais mettre mon talent de maximisation à profit pour explorer la question plus à fond !

• • •

PASSEZ À L'ACTION !

Un moment de réflexion
Je réussis l'appropriation de l'habitude et j'en suis fier

Explorons votre mode d'appropriation d'une habitude. Vous pourrez ainsi prendre conscience des clés d'une acquisition réussie.

Pensez à une habitude que vous êtes fier d'avoir développé dans les six derniers mois – par exemple, déléguer, écouter, lire, écrire, vous entraîner, méditer, pratiquer le yoga...

Allez-y avec toute votre fierté !

Exemple

Habitude	Gérer la lecture des courriels
Déclencheurs : • Lieu • Temps • État émotionnel • Personnes • Action qui précède • Repère visuel	Heures : 8 h – 11 h 30 – 17 h – 20 h
Action/activité	Lire mes courriels sur l'ordinateur ou sur mon portable seulement aux heures prévues, sauf à l'occasion pour des raisons exceptionnelles.
Récompense/ effets	Je me sens en maîtrise de l'utilisation de mon temps. Je garde le cap sur les priorités. Je reste au courant sans être branché en permanence. Plus grande clarté lorsque je réponds aux messages.
Qu'est-ce qui fait que cette habitude est acquise ?	Je gère la lecture de mes courriels sans trop y penser; c'est devenu une seconde nature.

Je réussis l'appropriation de l'habitude et j'en suis fier (suite)	
HABITUDE	
Déclencheurs : Lieu Temps État émotionnel Personnes Action qui précède Repère visuel	
Action/activité	
Récompense/ effets	
Qu'est-ce qui fait que cette habitude est acquise ?	

Vous souhaitez aller plus loin ?

Testez votre capacité à déployer votre 6e talent à l'aide des trois clés d'ancrage de l'habitude de faire valoir vos talents !

Un moment de réflexion

Je prends l'habitude de faire valoir mes talents

Expérimentez la boucle de l'habitude. Choisissez un de vos talents dominants :

••

Pour ce talent, choisissez une récompense, soit un effet souhaité lorsque vous présentez votre talent :

- Assurance
- Valeur perçue
- Crédibilité
- Attraction
- Liberté
- Satisfaction

••

••

Puis un déclencheur, soit l'élément qui vous rappellera de faire valoir votre talent :

- Lieu
- Temps
- Émotion
- Personnes
- Action qui précède
- Indice visuel

••

••

Et enfin un mode d'expression, soit une façon positive de faire bénéficier votre interlocuteur de votre talent.

••

••

À vous de jouer !

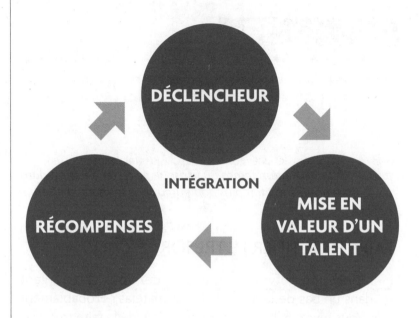

CE QU'IL FAUT RETENIR

- Ancrer l'habitude de faire valoir vos talents rend service à votre cerveau.
- Les clés de l'appropriation d'une habitude sont :
    - visualiser les récompenses ;
    - déterminer un déclencheur ;
    - passer à l'action !
- Trois répétitions suffisent pour enclencher le processus d'intégration d'une habitude.

5. Faites de votre cerveau un allié

«Vint un temps où le risque de rester à l'étroit dans un bourgeon était plus douloureux que le risque d'éclore.»

Anaïs Nin

FAIRE FRUCTIFIER LE TRÉSOR

En prévision de votre retraite, gardez-vous votre argent dans un bas de laine ou sous un matelas? Probablement pas. Vous savez qu'il vous sera impossible de le faire fructifier de cette façon. Désireux de vous assurer une retraite dorée, vous l'investissez plutôt dans un portefeuille de placements, dans un régime de retraite, dans l'immobilier, dans les bons du Trésor, dans une assurance à valeur de rachat ou quelque autre véhicule financier. Et selon vos choix et les risques que vous êtes prêt à prendre, vous récolterez des bénéfices plus ou moins grands.

Qu'en est-il donc de votre trésor personnel, de vos talents distinctifs? Comment pouvez-vous les faire fructifier pour en multiplier les bienfaits? Partons de l'idée que le temps, c'est de l'argent; autrement dit, qu'il faut savoir utiliser son temps de manière à en tirer pleinement profit. Selon cette prémisse, il est entendu que vous feriez un mauvais investissement et récolteriez de bien maigres gains en consacrant la plus grande partie de votre temps à tenter de corriger vos faiblesses et vos lacunes dans l'espoir d'améliorer vos performances. Pour optimiser le rendement de votre investissement en temps, vous devez plutôt miser sur vos forces et vos talents dominants, et oser les exprimer et les faire valoir.

Pour ce faire, il vous faut un allié. Et cet allié, c'est votre cerveau et ses quelque cent milliards de cellules nerveuses qui n'attendent que d'être mises à contribution pour faire fructifier votre trésor au-delà de toutes limites.

LE CERVEAU : ENCORE DES MYTHES ET DES RÉALITÉS

Pour quelle raison parler du cerveau alors que le 6ᵉ talent n'a besoin que d'être réveillé pour agir ? Disons que puisque le cerveau orchestre nos décisions et nos actions, il y a de fortes chances qu'il nous joue des tours si on ne l'implique pas positivement dans la mise en valeur de nos talents.

Si l'on vous demande de ne pas penser à un ours polaire bleu, que se passe-t-il ? Le cerveau vous renvoie aussitôt l'image claire et nette d'un ours polaire... bleu. Imaginez maintenant que vous mordez dans un citron bien juteux. Votre cerveau s'empresse d'activer vos glandes salivaires et de vous faire faire la grimace. Le cerveau ne fait pour ainsi dire aucune distinction entre le réel et le fictif, de sorte que les messages que vous lui envoyez par l'entremise de vos pensées et de vos émotions peuvent influencer positivement ou non vos intentions, vos décisions et vos actions. C'est d'ailleurs ce qui fait la puissance de la visualisation, dont certains se servent, par exemple, pour parfaire leur élan de golf ou leur service au tennis en s'y entraînant mentalement.

Vous avez décidé de faire valoir vos talents dominants après avoir découvert (ou redécouvert) votre trésor. Vous avez maintenant la ferme intention d'appliquer les principes qui favorisent l'expression de ces précieux talents et d'intégrer cette pratique dans votre quotidien afin d'en récolter les bienfaits. Mais voilà qu'une émotion vous bloque soudain, le doute par exemple. Comment les gens réagiront-ils à ce nouveau comportement ? Et si les effets étaient différents de ceux que vous prévoyez ? Après tout, votre impact actuel n'est pas nul… Que faire lorsque ce type d'émotion vient freiner votre élan ?

La solution consiste à bien comprendre le fonctionnement de votre cerveau pour le mettre à contribution dans l'éveil et le déploiement de votre 6e talent. Vous saurez ainsi comment rectifier le tir s'il tente de… faire à sa tête !

Qui dit cerveau dit neurosciences. Un terme à la mode qui désigne simplement l'étude scientifique du système nerveux, depuis la molécule jusqu'aux organes évolués, comme le cerveau…

LE CERVEAU MILLIARDAIRE

Principal organe du système nerveux chez les humains, le cerveau régule les autres systèmes d'organes du corps et constitue le siège des fonctions cognitives. Formé d'environ cent milliards de cellules nerveuses appelées neurones, le cerveau humain est vraisemblablement la forme de matière organisée la plus complexe de l'univers. Le cerveau n'est toutefois pas le seul organe à avoir une forte concentration de neurones. L'intestin, par exemple, en compterait environ cinq cents millions. C'est pourquoi on évoque souvent la présence de trois cerveaux chez l'humain : celui dans le crâne, celui dans le ventre (les tripes) et celui dans le cœur, lui aussi bien ravitaillé en connexions nerveuses.

....

Comment s'assurer de la collaboration de notre cerveau pour le développement de notre 6ᵉ talent ? Dissipons tout d'abord certains mythes à propos du cerveau et mettons la réalité à notre service.

Mythe n° 1
Nous utilisons à peine 10 % de notre cerveau

Depuis des décennies, l'une des croyances les plus répandues est que nous utilisons seulement 10 % de notre cerveau. Les 90 % restants formeraient une réserve inexploitée qui, une fois développée, permettrait d'avoir des habiletés paranormales comme la télépathie. Mais ce n'est là qu'un mythe.

S'il est vrai que le cerveau n'est jamais entièrement mobilisé par une activité, les nombreuses études visant à mesurer l'activité du cerveau ont démontré que peu de zones du cerveau restent inoccupées chez l'être humain, à moins de lésions importantes, évidemment.

Vous avez vos cinq talents dominants en tête ? Si on vous invite à les nommer, lesquels vous viennent le plus facilement à l'esprit ? Difficile de se rappeler les cinq, n'est-ce pas ? Pas étonnant ! Selon les études scientifiques brillamment vulgarisées par David Rock dans son livre *Brain at Work*, l'idéal pour le cerveau est d'avoir un maximum de trois à quatre idées à la fois pour pouvoir stocker de l'information de façon optimale. Les cartes de crédit à seize chiffres sont d'ailleurs présentées en séquences de quatre chiffres afin de nous faciliter la vie. Pour une prise de décision optimale, rien de mieux pour le cerveau que d'aborder deux idées simultanément, alors que pour bien comprendre un concept, une idée à la fois favorisera une meilleure assimilation.

Voilà pourquoi nous vous avons encouragé à noter vos cinq talents dominants, question d'aider votre cerveau à être un bon allié. D'autre part, l'expression d'un ou deux talents à la fois facilitera le travail de votre allié. Imaginez un peu sa tâche si vous tentez à tout coup de faire valoir l'ensemble de vos talents dominants au cours d'une même conversation. L'ambition est louable, mais songez plutôt à mettre votre cerveau de votre côté !

Mythe n° 2
Nous sommes tous de type cerveau gauche ou cerveau droit

On entend souvent dire que les ingénieurs et les comptables sont de type cerveau gauche, alors que les artistes et les designers sont de type cerveau droit. Pourtant, chaque être humain se sert des deux hémisphères, le gauche et le droit. Encore plus formidable, il est démontré que les deux hémisphères sont créatifs !

CERVEAU RATIONNEL ET CERVEAU INTUITIF

Le fait est que les deux hémisphères du cerveau ont des rôles qui leur sont propres, et certains d'entre nous avons développé certains rôles plus que d'autres, tout comme on développe certains muscles plus que d'autres.

LE RATIONNEL (STRUCTURE)

Parmi les rôles de l'hémisphère gauche :

- Focalisation
- Direction
- Logique et analyse
- Temps
- Positivité

L'INTUITIF (LIBERTÉ)

Parmi les rôles de l'hémisphère droit :

- Vision globale
- Intention
- Métaphores et images
- Espace
- Moment présent

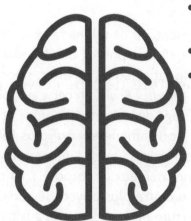

Comment cela s'applique-t-il à votre démarche actuelle?

- Tout d'abord, l'hémisphère droit s'est mobilisé sous l'effet de votre curiosité à découvrir vos talents, tandis que l'hémisphère gauche a entrepris de planifier le bon moment pour faire le test détecteur de talents.

- Ensuite, l'hémisphère gauche a analysé les occasions de mise en valeur de vos talents, tandis que l'hémisphère droit a visualisé les impacts possibles de cette mise en valeur tout en faisant naître l'intention ferme de vous mettre en mouvement et d'expérimenter votre approche.

- Finalement, pour imaginer les récompenses résultant du déploiement de votre 6e talent, le champion sera indéniablement l'hémisphère droit, tandis que l'hémisphère gauche misera sur la logique et la positivité pour trouver un ou plusieurs éléments propres à déclencher l'expression de vos talents.

Le déploiement du 6e talent favorise ainsi l'interconnexion des deux hémisphères du cerveau et contribue à une plus grande satisfaction. En effet, selon Dr Dan Siegel, auteur de *The Mindful Brain*, un cerveau dont les parties se répondent est gage de bien-être physique et psychologique. Ce chercheur nous amène encore plus loin en affirmant qu'une intention claire favorise l'interconnexion et l'harmonie des systèmes nerveux et corporels. La preuve? Si vous avez l'intention d'être plus ouvert, le cerveau enverra des signaux d'ouverture et de réceptivité aux cinq sens: écoute plus active, observation plus grande, sensibilité accrue, etc.

Mythe n° 3
Le cerveau est trop complexe pour être contrôlé

Les neurosciences apportent la preuve que nous avons plus de pouvoir que nous le croyons sur nos pensées, nos actions, notre niveau de performance et notre satisfaction.

> Nous avons plus de pouvoir que nous le croyons sur nos pensées, nos actions, notre niveau de performance et notre satisfaction.

Le cerveau est une machine à la fois évoluée et primitive dont la raison d'être est d'abord et avant tout notre survie. Constamment sur ses gardes, il privilégie les connexions nerveuses négatives par rapport aux positives. Nous devons donc nous concentrer davantage sur le positif pour contrebalancer le négatif. Or, en investissant dans nos forces et en les mettant de l'avant, nous favorisons activement la création de connexions positives, tant pour nous-mêmes que pour les gens qui nous entourent. Il en résulte une plus grande joie, des réalisations plus significatives, plus de sens et d'engagement, plus d'estime de soi et des relations plus satisfaisantes à court et à long terme.

Allons maintenant plus loin... et parlons du cerveau cognitif et du cerveau émotionnel.

En créant une nouvelle habitude comme l'expression des talents, deux régions du cerveau se font littéralement concurrence. En effet, le cerveau comporte une région supérieure, le cortex préfrontal – aussi appelé cerveau cognitif –, et une région inférieure plus primitive, le système limbique – aussi appelé cerveau émotionnel. Le cerveau cognitif est celui où se prennent les décisions; il est le siège de la volonté, de l'analyse, de la réflexion et du langage. Le cerveau émotionnel est quant à lui le centre nerveux responsable de la gestion de la mémoire, des émotions, des gestes routiniers et des réactions de survie face aux dangers perçus – réels ou non –, soit de fuir, de figer ou de foncer. Le cerveau émotionnel ne pouvant communiquer ce qu'il sait avec des mots, il le fait par l'entremise d'émotions qui se traduisent par des sensations viscérales.

Saviez-vous que le cerveau fonctionne en mode binaire, comme un ordinateur? Tous les stimuli sont classés en deux catégories : menace ou récompense. Une menace déclenche un réflexe d'éloignement, alors qu'une récompense suscite une réaction de rapprochement. Lorsque nous éprouvons un doute, par exemple, le cerveau perçoit une menace ou un danger potentiel. Le cerveau émotionnel fait alors son travail et libère fièrement, à tort ou à raison, du cortisol et de l'adrénaline dans le système nerveux, soit des hormones essentielles pour que le corps se prépare à s'arrêter, à prendre la fuite ou à se battre.

LA CHIMIE ÉTONNANTE DU CERVEAU

Sécrété à répétition, le cortisol – l'hormone de l'éveil et du stress – peut s'accumuler de manière insidieuse dans le système nerveux et bloquer les circuits allant vers le cerveau cognitif (supérieur), entravant ou réduisant ainsi la capacité de raisonnement ou de réflexion face à une situation donnée. Le cerveau émotionnel (inférieur) prend alors la direction des opérations et relève le cerveau cognitif de ses fonctions. En anglais, on qualifie ce blocage de *hijack*, à l'image d'un détournement d'avion, ce qui en dit long sur la puissance de cette réaction dans le cerveau. À moins d'en prendre conscience!

Lorsqu'on sent monter la pression ou l'émotion, trois à dix bonnes respirations suffisent pour s'oxygéner et permettre au cerveau cognitif de reprendre du service. Prenons un exemple: «Je constate que j'ai un doute en ce qui concerne l'expression de mes talents. Serait-ce par peur de l'inconnu? Trois bonnes respirations devraient m'aider à faire le point. Quelle est mon intention? Que mes collègues et mon entreprise profitent davantage de mes talents. Donc, lequel de mes talents dominants s'avère le plus utile dans le contexte actuel? Et quel serait le meilleur moment pour le mettre en lumière au cours de la prochaine semaine?» Voilà que le cerveau cognitif a repris le dessus.

....

Quand on prend conscience d'une chose, on peut agir sur cette chose.

La conscience et l'attention sont les ingrédients secrets du cerveau cognitif. Quand on prend conscience d'une chose, on peut agir sur cette chose, faute de quoi l'inconscient s'en occupe à notre place. La conscience procure la liberté de choix! Il s'agit d'abord de prendre conscience d'une émotion, d'une pensée ou d'une croyance qui risque de bloquer une action souhaitée. Il faut ensuite se concentrer sur l'intention, soit l'effet qu'on désire produire. Comme le cerveau traite un grand nombre d'informations et de stimuli, seule la répétition créera de nouveaux circuits et produira une transformation réelle et durable. C'est pourquoi il devient de plus en plus facile d'attester ses talents lorsqu'on s'y exerce.

Dans le cas d'une émotion positive, par exemple la joie que procure le sentiment d'avoir un impact tangible, le cerveau émotionnel réagit dans le sens voulu au lieu de fuir, figer ou se battre. Il envoie alors la commande de libérer des neurotransmetteurs comme la dopamine et la norépi-néphrine – l'adrénaline du cerveau –, qui régulent l'humeur, la curiosité et l'intérêt, et stabilisent les circuits du cerveau cognitif. D'où l'importance de visualiser les effets positifs de la mise en lumière de vos talents.

Bref, en ce qui concerne le déploiement de votre 6e talent, le cerveau cognitif prend la décision d'exprimer vos talents dominants et le cerveau émotionnel facilite l'ancrage de l'habitude en vous poussant vers la récom-pense visualisée. Lorsque le cycle se répète, il devient natu-rel, et comme nous l'avons vu précédemment, trois répétitions suffisent pour enclencher le processus d'inté-gration d'une nouvelle habitude !

Un cerveau bien nourri

Revenons sur une réalité importante : le cerveau cognitif car-bure au glucose et utilise beaucoup d'énergie. D'où l'impor-tance de prendre l'habitude de faire valoir vos talents, puisqu'en devenant une seconde nature, cette pratique demandera moins de carburant décisionnel au cerveau cogni-tif, libérant ainsi une énergie qu'il pourra consacrer à d'autres tâches importantes que vous lui aurez confiées.

Outre suffisamment de sommeil, une bonne alimentation, de l'activité physique et du divertissement, le cerveau a besoin de nouveauté et de connectivité pour se développer et opérer de manière optimale. Or, le déploiement du 6ᵉ talent permet au cerveau de se régénérer en lui offrant des occasions de réflexion stratégique, de nouvelles pratiques et des relations significatives avec les gens qui comptent autour de vous. En mobilisant ses capacités réelles et virtuelles pour passer à l'action, vous faites de votre cerveau un solide allié dans toutes vos sphères d'activité, à condition de bien le connaître, comme pour tout autre partenaire !

Un moment de réflexion
Je fais de mon cerveau un allié

Comment faire de votre cerveau un allié ?

L'objectif est d'amener les hémisphères droit et gauche à mieux communiquer ensemble et à se coordonner, tout en sachant que le cerveau gauche interprète les messages différemment du cerveau droit. Il nous faut donc un médiateur, ou recourir à un moyen de communication à même de servir les deux hémisphères.

Un exercice de carte mentale *(mind map)* s'avère utile à cet effet, car il met les deux hémisphères à contribution. Une carte mentale contient des mots (cerveau gauche), des couleurs et des images (cerveau droit). Les informations y sont structurées et organisées (cerveau gauche), et il s'en dégage une vision globale de la situation (cerveau droit).

Voici comment créer une carte mentale pour déployer votre 6ᵉ talent :

1. Reprenez les trois mots, phrases ou expressions que vous avez retenus au premier chapitre pour décrire un de vos talents dominants.

Exemple d'un talent de notre ami Newton : **réalisateur**
- Travaille fort et avec énergie.
- Productif.
- Toujours prêt à entreprendre plus d'activités.

Votre talent dominant :..

- ....

- ....

- ....

2. Reportez le tout sur une feuille de papier comme dans l'exemple ci-dessous en ajoutant des images que les mots vous inspirent, et même d'autres mots qui vous viennent à l'esprit. Allez-y ! Vous n'avez pas besoin d'être bon en dessin, et ça fera du bien à votre cerveau.

Exemple

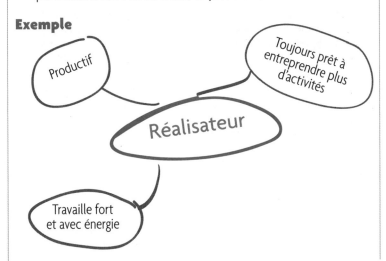

Je fais de mon cerveau un allié (suite)

Ma carte mentale

- En contemplant votre carte mentale, votre cerveau droit embrasse la représentation globale de votre talent, tandis que votre cerveau gauche jongle avec les mots qu'il pourra utiliser pour faire valoir votre talent.

Qu'avez-vous expérimenté en faisant cet exercice ?

....

....

....

....

LE PENDULE DE NEWTON À LA RESCOUSSE

Que se passe-t-il dans votre cerveau lorsque vous exprimez un talent ?

Les neurones ont deux propriétés : l'excitabilité, c'est-à-dire la capacité de répondre aux stimulations et de les convertir en impulsions nerveuses, et la conductivité, soit la capacité de transmettre les impulsions. Ce sont ces deux fonctions qui sont à l'œuvre dans votre cerveau lorsque vous présentez un talent.

Le pendule de Newton illustre bien ce phénomène. Une première boule est soulevée puis, relâchée, elle frappe les boules immobiles, et cette impulsion est transmise à la dernière boule qui s'élève à son tour sous l'effet d'un phénomène de conductivité d'énergie. Vous êtes sceptique ? Plusieurs vidéos sur le Web en font la démonstration. Mieux encore, faites-en vous-même l'expérience !

Lorsque vous mettez un talent en lumière, il se crée une nouvelle impulsion nerveuse dans le cerveau en réponse à cette stimulation. Comme la première boule du pendule qui frappe les cinq autres, cette impulsion est transmise et produit un impact positif. Lorsque le geste est répété et que le cerveau en visualise et en ressent les effets positifs, l'engagement émotif qui en résulte favorise l'appropriation de l'habitude. Le mouvement se répète ainsi de lui-même, tout comme dans le pendule de Newton.

L'exemple d'un gestionnaire qui fait valoir son talent.
L'histoire de Sébastien

Un tout petit changement, une simple impulsion suffit parfois à produire de grands résultats. C'est ce qu'a constaté Sébastien, vice-président d'une entreprise de production télévisuelle et multimédia. Il a conscience d'avoir un talent d'arrangeur, une facilité à diriger et à configurer des équipes et des projets pour un maximum de productivité. Il maîtrise l'art de déterminer comment des personnes de talents différents pourront travailler ensemble, surtout dans des contextes dynamiques et complexes. Toutefois, Sébastien croit qu'il est important d'être humble dans la vie. Loin de lui l'idée de se vanter de son talent; il préfère rester discret, et se sent plus à l'aise de louanger ses collègues et ses amis. Cette croyance est comme un sillon, une autoroute dans le cerveau... un pilote automatique.

Sébastien sort d'une rencontre avec le grand patron de l'entreprise. Pour le remercier de son bon travail au cours de l'année écoulée, ce dernier veut confier à Sébastien la gestion d'une division rentable et bien huilée. Sébastien réalise que ce mandat ne fera pas du tout appel à son talent d'arrangeur. De plus, il risque de s'y ennuyer. Son patron aurait sans doute pu voir ses principaux talents par lui-même, mais Sébastien comprend désormais qu'il est de sa responsabilité de les faire valoir pour qu'on lui confie les mandats les plus opportuns dans un environnement propice. Il comprend que l'expression de ses talents n'est pas de la vantardise, mais plutôt une façon de les faire connaître aux autres pour mieux leur être utile. Il devient dès lors plus facile de convaincre son cerveau de changer d'autoroute, tout en respectant ses valeurs.

Sébastien décide donc de parler de son talent d'arrangeur à son patron et de lui faire savoir qu'il est vraiment dans sa zone d'excellence lorsque la situation demande une certaine reconfiguration. En écoutant Sébastien, le patron se rend compte que c'est effectivement ce talent qui lui a permis d'obtenir les résultats exceptionnels de la dernière année. Il entreprend aussitôt de discuter avec Sébastien des défis à relever au sein de l'organisation pour faire en sorte qu'il puisse développer ses talents et les mettre à profit tout en lui permettant de s'épanouir et de maximiser son impact sur le succès de l'entreprise. Dynamisé par cette discussion inspirante, Sébastien s'empresse de réunir son équipe pour une séance spéciale d'expression de talents!

Qu'a fait Sébastien? Il a décidé de soulever une boule du pendule. Cette boule a créé une impulsion et transmis un mouvement. Sébastien a ensuite visualisé les effets positifs de cette impulsion sur son équipe, et il a répété le mouvement. La mise en lumière de ses talents crée une impulsion qui assure la transmission du mouvement.

• • •

L'ACTION EST ÉGALE À LA RÉACTION

Comme le dit si bien Newton, à chaque action est toujours opposée une égale réaction! C'est ainsi que le fait de s'exercer à déployer son 6e talent contribue à ancrer l'habitude dans le cerveau jusqu'à la rendre tout à fait naturelle.

Les mythes et les réalités à propos du cerveau étant clarifiés, et la métaphore du pendule de Newton étant bien gravée dans votre esprit, il est temps de passer à l'action. Imaginez les retombées de vos efforts à faire de votre cerveau un partenaire dans le déploiement de vos talents dominants et de votre 6ᵉ talent !

PASSEZ À L'ACTION !

Un moment de réflexion

J'observe mon cerveau à l'œuvre

Mettez-vous en mode observation pour mieux comprendre votre 6ᵉ talent.

Au cours des prochains jours, soyez attentif à la zone du cerveau qui prend les commandes dans diverses situations – la cognitive ou l'émotionnelle. Allez-y sans jugement ; observez simplement. Vous trouverez fascinant de voir votre cerveau à l'œuvre.

SITUATION / ÉVÉNEMENT	OBSERVATION	CERVEAU COGNITIF / CERVEAU ÉMOTIONNEL
Exemple :		
1. Une heure avant d'aller donner une formation à un groupe...	Mon cœur bat plus vite, et j'ai très chaud tout à coup.	Cerveau émotionnel (inférieur) : sensations physiques créées par l'émotion, le trac.
2. Quinze minutes avant de donner la formation au groupe...	Je prends quelques bonnes respirations et je me dis que j'ai une réelle valeur ajoutée à offrir au groupe à travers cette formation.	Cerveau cognitif (supérieur) : capacité de réfléchir et de nommer les choses.

Situation / Événement	Observation	Cerveau cognitif / Cerveau émotionnel

CE QU'IL FAUT RETENIR

- Pour faire de son cerveau un allié, il est primordial de bien le connaître, comme pour tout partenaire.

- Les hémisphères droit et gauche du cerveau sont tous deux créatifs et contribuent tous deux au déploiement du 6e talent.

- Nos cerveaux cognitif et émotionnel se font concurrence. Bien orchestrés, ils peuvent tous deux nous aider à nous mettre en mouvement.

- Lorsque nous exprimons un talent, nous créons une nouvelle impulsion dans le cerveau, tout comme la première boule du pendule de Newton.

6. Laissez votre marque

*« Nous n'avons tout simplement pas le temps
de ne pas voir grand. »*

Elizabeth Gilbert, *Comme par magie*

LE TRÉSOR EN HÉRITAGE

Au fil de votre lecture,

- vous avez découvert, exposé, révélé et fait fructifier votre trésor; vous avez appris comment accroître votre impact grâce à lui;

- vous avez réveillé votre 6e talent en faisant valoir un ou plusieurs de vos cinq talents dominants;

- vous avez réalisé que lorsque vous offrez ce que vous avez de mieux en mettant vos talents distinctifs de l'avant, vous ne pouvez pas faire autrement que d'avoir un grand impact sur vous-même et sur votre entourage.

Donner le meilleur de vous-même à travers vos talents et les partager avec les autres devient une source de grande satisfaction, ce qui est en soi une importante réalisation.

Une question cruciale se pose ensuite. Au lieu de vous demander « comment vous souhaitez être reconnu », demandez-vous plutôt « pourquoi vous voulez être reconnu ». Pour quelles raisons – pas seulement de quelle façon – laisserez-vous votre marque et un trésor en héritage ?

Donner un sens à ce que vous êtes et à ce que vous faites devient alors la clé qui permet de créer cet héritage. Raccorder votre 6ᵉ talent à une intention vous permettra d'élargir votre zone d'excellence, de faire une plus grande différence et de laisser une marque indélébile.

Même avec la meilleure intention, il est souhaitable d'évoluer dans un environnement favorable où vous pourrez exprimer et faire valoir vos talents. Tout comme une graine, vos talents dominants ont besoin d'un terreau fertile pour fournir leur plein potentiel.

Explorons maintenant les facteurs de performance qui fortifieront votre 6ᵉ talent !

COMMENT RENDRE LE 6ᴱ TALENT ENCORE PLUS PUISSANT

Sur une glace fraîchement refaite, un joueur de hockey talentueux disposant du meilleur équipement disponible mais dont les patins ne sont pas aiguisés ne peut donner le meilleur de lui-même. Son jeu ne pourra pas être à la hauteur de sa capacité, et son équipe en subira les conséquences. Toutes les conditions ne sont pas réunies pour qu'il puisse livrer une performance optimale.

Il en va de même pour vous. À lui seul, votre 6ᵉ talent ne peut faire tout le travail. Il a besoin de conditions favorables pour réaliser son plein potentiel.

Ces conditions favorables se résument à trois facteurs de performance qui fortifient le déploiement de la mise en valeur de vos talents :

- avoir une intention claire;
- choisir d'être «sur son X»;
- semer ses talents dans un terreau fertile.

Chaque fois que vous faites jouer un ou plusieurs de ces facteurs, vous ajoutez du muscle à votre 6e talent, tout comme un turbocompresseur ajoute de la puissance à un moteur. C'est ce qui accroît les possibilités de laisser sa marque.

L'intention qui donne un sens

Avoir une vocation ou une raison d'être multiplierait grandement votre impact. Mais ce n'est toutefois pas chose simple; on passe parfois sa vie à la chercher. Heureusement, une intention claire suffit pour activer votre 6e talent, car elle fait appel à vos motivations profondes, à vos valeurs, à votre essence, bref à ce qui est important pour vous.

Agir intentionnellement, c'est agir de façon consciente et délibérée pour atteindre un but qu'on s'est fixé. C'est aussi s'engager émotionnellement. Comme nous l'avons vu, c'est à partir d'une émotion que se produit la réaction qui fait perdurer le mouvement amorcé par la mise en valeur de vos talents.

Quelle intention, quelles intentions soutiennent votre désir de faire valoir vos talents? Que ce soit par rapport à votre carrière, à un projet ou à une passion, l'idée est d'aborder votre ou vos intentions avec l'objectif ferme de mettre vos talents à profit.

> Une intention claire fait appel à vos motivations profondes, à vos valeurs, à votre essence, bref à ce qui est important pour vous.

Un moment de réflexion
Ma motivation profonde

Déterminez l'intention, la motivation profonde qui vous engagera émotivement à déployer votre 6e talent. Cochez les intentions qui vous interpellent parmi les suggestions suivantes (vous pouvez, bien sûr, en ajouter).

○ découvrir plus profondément mes talents, mieux me connaître;

○ savoir en quoi je peux être complémentaire aux autres;

○ mieux aider les autres à réaliser leur potentiel;

○ faire bénéficier les autres de mes points forts;

○ réduire les conflits dans l'équipe;

○ augmenter la performance et le rendement sur le temps investi au travail;

○ apprendre de nouvelles façons d'exprimer mes talents;

○ atteindre de nouveaux sommets;

○ favoriser l'harmonie;

○ être un meilleur leader;

○ optimiser mes talents par pur principe;

○ vivre de belles expériences;

○ améliorer le bien-être de la société;

○ optimiser les équipes et les décisions;

○ obtenir de la reconnaissance pour mes talents;

○ être encore plus utile et efficace;

○ mieux contrôler ma contribution et mon avancement;

○ intégrer mes talents à mon mode de vie...

Choisir d'être « sur son X »

Pour gagner notre vie, nous pratiquons une activité, une profession ou un métier, mais qu'est-ce qui nous dit qu'on est sur notre fameux X ?

Être sur son X veut simplement dire qu'on est à la bonne place et que l'activité qu'on pratique réunit les trois éléments essentiels suivants :

1. être enthousiaste – ou même passionné – par l'activité;

2. pouvoir exprimer et faire valoir ses talents;

3. avoir le sentiment de contribuer à quelque chose d'important.

Lorsque ces trois éléments sont réunis, on ne peut faire autrement que de ressentir une très grande satisfaction et d'avoir une présence significative dans la société.

Être sur son X ne veut pas obligatoirement dire qu'on est limité ou condamné à une seule activité. Par exemple, un musicien peut aussi être compositeur, un architecte peut aussi être constructeur. S'ils sont enthousiastes, s'ils peuvent exprimer et faire valoir leurs talents, et s'ils en retirent un fort sentiment de contribution, ils seront sur leur X. On peut aussi penser à un acteur qui devient metteur en scène, et qui peut ainsi exprimer son talent créatif dans la sphère de sa passion, que ce soit le théâtre ou le cinéma. Ou encore à un humoriste qui change de scène pour devenir acteur, à un chef d'entreprise qui se découvre un talent d'artiste, à un athlète qui devient commentateur sportif, ou à un consultant qui devient enseignant. Newton lui-même a cumulé les fonctions, passant de mathématicien à physicien, à astronome et, à la fin de sa vie, à théologien. On peut facilement concevoir qu'un ou plusieurs de ses talents, tels que studieux et analytique, se manifestaient dans chacun de ces rôles.

Trouver son X n'est pas chose facile, direz-vous? En effet, ce n'est pas facile, mais le secret pour y arriver se résume simplement. Il s'agit de prendre le temps de connaître ses talents, d'explorer pour découvrir ce qui nous passionne ou nous intéresse vraiment, et de reconnaître les occasions où l'on a le sentiment de contribuer à quelque chose de supérieur. Tout ce dont vous avez besoin est un soupçon de curiosité.

Votre activité actuelle vous permet-elle de mettre vos talents à contribution?

Semer ses talents dans un terreau fertile

L'environnement dans lequel vous exprimez vos talents est un peu comme le champ d'un agriculteur; plus le sol est fertile et plus la récolte sera bonne.

Pour que le déploiement de votre 6e talent ait encore plus d'impact et pour tirer le meilleur parti possible de l'utilisation de vos talents dominants, portez une attention particulière à l'environnement dans lequel vous évoluez.

Votre environnement vous paraît-il favorable ou non à l'expression de vos talents? Si oui, excellent! Votre terreau est déjà fertile. Sinon, il vous reste trois choix:

1. choisir le type de terrain;
2. transformer le terrain;
3. changer de terrain.

CHOISIR LE TYPE DE TERRAIN

Avoir la possibilité de choisir, quelle belle liberté! C'est aussi un des effets de l'expression des talents. Le fait d'être conscient de vos talents dominants vous permet de choisir où les utiliser.

Prenons une personne qui possède un talent de maximisation. Elle a tout intérêt à opter pour un environnement où l'excellence fait partie de la culture de l'entreprise. Ce genre d'entreprise accueillera à bras ouverts son talent à rendre encore meilleur ce qui fonctionne déjà bien. Il peut notamment s'agir d'une entreprise en croissance ou en expansion.

Une personne qui a le talent de restaurer sera quant à elle plus à son aise dans un environnement ou plusieurs défis et difficultés sont à relever. Sa facilité à repérer la source des situations problématiques et à les redresser sera un atout pour les entreprises en restructuration, en démarrage, ou qui œuvrent dans un marché changeant.

Pour mieux saisir l'importance du type de terrain, prenons en exemple deux enseignants.

Le premier enseignant a un talent d'inclusion. Il s'épanouira dans un contexte de classes d'accueil ou d'intégration de différentes cultures. C'est là que son acceptation des gens venus d'ailleurs et sa tolérance naturelle deviendront des atouts propres à favoriser l'inclusion de toutes les personnes dans son groupe.

Le deuxième enseignant a un talent d'harmonie qu'il pourra mettre à contribution dans un environnement ayant moins de probabilités de conflits et au sein duquel sa capacité d'aider les gens à travailler ensemble et sa facilité à créer un climat de bonne entente et de consensus seront des plus utiles.

Inversez les rôles, ou plutôt le terrain de chacun de ces enseignants, et ils auront de la difficulté à mettre pleinement leurs talents à profit. Un même emploi, mais un autre contexte fait toute la différence.

En fait, choisir le type de terrain, c'est choisir en fonction de ce qu'on veut cultiver. Évoluer sur un terrain favorable à l'expression de vos talents augmente vos chances de fournir un meilleur rendement.

TRANSFORMER LE TERRAIN

Vous n'avez pas eu l'occasion de choisir en pleine conscience de vos talents l'environnement dans lequel vous œuvrez ? Même si cet environnement n'est pas tout à fait propice à l'expression de vos talents, vous pouvez tenter de le transformer.

> Choisir le type de terrain, c'est choisir en fonction de ce qu'on veut cultiver.

Quelle influence pouvez-vous avoir et comment pourriez-vous décider de changements qui transformeraient votre milieu de travail en un environnement propice à l'expression de vos talents ? Un terrain où votre satisfaction serait au rendez-vous ?

Pas si difficile que vous pourriez le penser. Déjà, quand vous osez exprimer vos talents, l'environnement se transforme et prend la mesure de ce que vous pouvez apporter. Faire valoir vos talents dominants vous donne de l'assurance et vous fait passer du rôle de figurant à celui d'acteur. Ce changement de rôle aura pour effet de transformer encore davantage votre environnement et de le rendre plus favorable à votre épanouissement.

Bien entendu, il faudra être patient, car transformer le terrain peut prendre un certain temps. Voyez ça comme si vous retourniez la terre et ajoutiez de l'engrais; ça demande un peu plus de travail, mais la récolte n'en sera que meilleure.

CHANGER DE TERRAIN

Quand votre environnement de travail ne convient plus ou ne convient pas à l'expression et à la mise en valeur de vos talents, quand vous n'y trouvez plus de satisfaction et quand il n'est pas possible de le transformer, vous pouvez décider de changer de terrain.

Évidemment, nous n'avons pas toujours le loisir de choisir ce que nous voulons quand nous le voulons. Savoir connaître et reconnaître vos talents et les types de terrains les plus favorables à leur déploiement sera certainement un atout lorsque viendra le temps de choisir un nouveau mandat ou un nouvel emploi.

Imaginez les impacts positifs d'une décision visant à abandonner un terrain stérile pour choisir un terrain fertile où pourront fièrement s'épanouir vos talents – et vous de même!

Un moment de réflexion

*Mon environnement est-il favorable
à l'expression de mes talents ?*

QU'EST-CE QUI FAVORISE LA MISE EN VALEUR DE VOS TALENTS — VOTRE 6^E TALENT ?

....

....

....

....

....

....

....

QU'EST-CE QUI FREINE LA MISE EN VALEUR DE VOS TALENTS — VOTRE 6^E TALENT ?

....

....

....

....

....

....

....

LA ZONE D'EXCELLENCE

On entend et on lit très souvent qu'il faut sortir de sa zone de confort pour apprendre, pour espérer accomplir de grandes choses ou pour réaliser son plein potentiel. Il faut apparemment se mettre en danger, prendre le risque de se soumettre à des situations de toutes sortes...

Sortir de sa zone de confort... mal nécessaire ou calamité ?

Soyons réalistes. Nous nous retrouvons régulièrement dans des situations qui nous sortent de notre zone de confort. Changer d'emploi, aborder un nouveau contact, devoir changer d'itinéraire de voyage à la dernière minute ou être invité à faire une présentation non planifiée à dix minutes d'avis. Chaque nouvelle situation que nous vivons et chaque nouvelle action que nous entreprenons peut nous mettre mal à l'aise et même nous plonger dans une certaine insécurité. L'inconnu déclenche d'ailleurs dans le cerveau un message de danger.

Être en zone d'inconfort, c'est un peu comme se déplacer dans l'obscurité dans un espace que l'on ne connaît pas. On n'y voit rien, on marche à petits pas, et notre niveau de confiance chute comme le mercure en hiver. Songez aux fois où, en voyage, il vous a parfois semblé périlleux de vous rendre de la salle de bain à votre lit en pleine nuit. Que dire de devoir évoluer dans le noir dans un espace totalement inconnu !

Cela dit, pourquoi sortir de sa zone de confort lorsqu'on peut simplement l'étendre ?

Il existe une autre zone : la zone d'excellence

Votre zone d'excellence est cet espace où vous brillez non seulement par vos talents, mais aussi par vos valeurs, votre attitude, vos compétences et votre essence. Cet espace où vous êtes sur votre X et où vous vous sentez en pleine possession de vos moyens. Avant de sortir de votre zone de confort, posez-vous la question : « Suis-je toujours dans ma zone d'excellence ? » Si oui, allez-y, osez !

Votre zone d'excellence met en lumière votre précieux trésor. Telle une lanterne qui éclaire l'obscurité, votre trésor vous éclaire et vous garde en confiance lorsque vous vous retrouvez dans des zones moins confortables. Être dans votre zone d'excellence vous donne la possibilité d'élargir toujours un peu plus votre zone de confort, et avec plus de confiance.

> Votre zone d'excellence est cet espace où vous brillez non seulement par vos talents, mais aussi par vos valeurs, votre attitude, vos compétences et votre essence.

ÊTRE DANS SA ZONE D'EXCELLENCE, LAISSER SA MARQUE ET AVOIR PLUS D'IMPACT

Tout au long de sa carrière, Céline Dion a évolué dans sa zone d'excellence. Elle a poli son trésor en développant ses talents et en les exprimant haut et fort, ce qui lui a permis d'élargir sans cesse sa zone de confort et d'assurance, et de connaître l'immense succès qui est le sien. Elle a par ailleurs su s'entourer de gens de talents qui contribuent eux-mêmes à ce succès.

> Une fois dans votre zone d'excellence... vous pouvez aller plus loin.

On retrouve des cas semblables dans le monde des affaires, des arts, de l'éducation, de la politique et du sport, et il peut en être de même pour vous. En évoluant de plus en plus dans votre zone d'excellence, vous pouvez oser explorer plus loin et étendre votre fameuse zone de confort avec plus de confiance et d'assurance de manière à atteindre plus aisément vos objectifs, à avoir encore plus d'impact et à laisser votre marque.

Il y a là une occasion unique de mettre à contribution la loi universelle d'action-réaction de Newton ! Une fois votre intention claire quant à l'impact que vous souhaitez exercer... une fois l'activité et l'environnement propices choisis... une fois dans votre zone d'excellence... vous pouvez aller plus loin.

PASSEZ À L'ACTION !

Pour chacun de vos talents dominants, explorez les types d'environnements ou de situations qui peuvent favoriser leur expression et accroître votre impact.

Un moment de réflexion	
Talents dominants et environnements fertiles	
TALENTS DOMINANTS	**ENVIRONNEMENTS FERTILES**
Exemple d'un talent de Newton : **IDÉATION**	• Situation ou projet complexe • Innovation • Recherche et développement

TALENTS DOMINANTS	ENVIRONNEMENTS FERTILES
1............................	....
2............................	....
3............................	....
4............................	....
5............................	....

Lorsque vous devez faire un choix relatif à un emploi ou à un nouveau rôle, lorsqu'on vous propose un projet ou lorsqu'on vous demande de vous joindre à une équipe, posez-vous les trois questions suivantes :

1. Est-ce qu'un ou plusieurs de mes talents seront utiles ? Lesquels ?

2. Est-ce que j'aurai l'occasion de les faire valoir ?

3. Quel sera le signe qu'il est temps de passer à autre chose ?

CE QU'IL FAUT RETENIR

- Une intention claire active fortement votre 6ᵉ talent.

- Vos talents peuvent s'exprimer dans une variété d'activités tout en étant sur votre X.

- L'environnement est un facteur déterminant pour déployer pleinement votre 6ᵉ talent.

- Évoluer dans votre zone d'excellence vous donne de l'assurance et élargit votre zone de confort.

Récapitulatif
Pour passer à l'action

> « Concentrez-vous sur les quelques choses
> qui peuvent avoir le plus d'impact. »
>
> Jim Collins, *Good to Great*

LE 6ᴱ TALENT ÉTAPE PAR ÉTAPE

Voici les principales étapes pour éveiller et déployer votre 6ᵉ talent de manière à en profiter pleinement.

1. **DÉCOUVREZ OU REDÉCOUVREZ VOS TALENTS DISTINCTIFS.**	• *StrengthsFinder* (notre recommandation) • Enquête auprès de votre entourage • *Character Strengths* • *StandOut* • Autres sources dans Internet
2. **EXPRIMEZ VOS CINQ TALENTS DOMINANTS.**	Exprimer vos talents, c'est dire au monde ce en quoi vous excellez, ce en quoi vous pourrez leur être utile. Rappelez-vous les grands principes de la mise en valeur des talents et laissez votre marque : • se définir; • être cohérent; • être constant; • garder le cap.

3. ANCREZ L'HABITUDE DE FAIRE VALOIR VOS TALENTS.	Développer l'habitude de présenter vos talents est l'élément essentiel pour créer un mouvement perpétuel. Rappelez-vous les six effets de l'expression des talents : • assurance; • valeur perçue; • crédibilité; • attraction; • liberté; • satisfaction.
4. METTEZ-Y DE LA PUISSANCE.	Votre 6ᵉ talent peut être encore plus percutant. Il suffit d'ajouter un ou plusieurs facteurs de performance pour avoir encore plus d'impact : • avoir une ou des intentions claires; • choisir d'être sur son X; • évoluer dans un environnement favorable.

AIDE-MÉMOIRE

Pour augmenter l'effet de levier du 6ᵉ talent

Votre cerveau peut devenir un allié à même de vous aider à bien intégrer l'expression de vos talents. Cerveau rationnel (gauche) et cerveau intuitif (droit), cerveau cognitif (supérieur) et cerveau émotionnel (inférieur)... Permettez à chacun de jouer son rôle !

Pour maintenir votre 6ᵉ talent en mouvement

Afin de vous assurer de garder bien éveillé votre 6ᵉ talent, revoyez ces étapes, relisez les différents chapitres et passez périodiquement en revue les notes que vous avez prises au fil de votre lecture.

Pour profiter de votre 6e talent au quotidien

Pour bien démarrer votre journée ou votre semaine, et pour que votre 6e talent vous assiste en ce sens, faites comme le pilote d'avion qui révise sa liste de contrôle avant chaque décollage. Revoyez les éléments qui vous permettront de bien faire décoller votre 6e talent jour après jour.

- Relisez vos cinq talents dominants.

- Selon votre agenda ou votre liste de choses à faire, ciblez les occasions de faire valoir un ou plusieurs de vos talents dominants.

- Débutez votre journée avec une intention.

Rappelez-vous que ce sont vos talents en action qui vous gardent dans votre zone d'excellence !

Et si on allait plus loin

« En affaires, j'ai appris à ne pas gaspiller un talent...
et j'ai aussi appris qu'avec un peu de talent et beaucoup
de volonté, on réalise de grandes choses. »

Louis Garneau, *333 pensées*

LE 6ᴱ TALENT, UN TRÉSOR POUR LES ORGANISATIONS

Imaginez une entreprise où les talents dominants seraient au cœur de la culture organisationnelle. Les définitions de tâches laisseraient place à des définitions de talents en lien direct avec les rôles et responsabilités nécessaires pour atteindre les objectifs de l'organisation, peu importe sa taille.

Du bas jusqu'en haut de la hiérarchie, les talents seraient toujours au centre des défis à relever. Pour chaque problématique à résoudre et objectif à atteindre, l'organisation ferait avant tout appel... aux talents.

Lors du recrutement, ce sont les talents qui seraient évalués et reconnus par l'organisation, avant même de regarder les diplômes et les profils de compétences et de comportements. Il en irait de même des programmes de formation offerts aux employés. Le critère des talents serait tout particulièrement mis de l'avant pour l'attribution des rôles, afin de favoriser une grande mobilisation et les meilleures performances possible.

Culture de talents, culture d'excellence

Imaginez maintenant que chaque personne au sein de l'organisation soit dans sa zone d'excellence. Placée au bon endroit, au bon moment et pour les bonnes raisons, elle contribuerait de manière optimale à la réussite de l'entreprise par le déploiement de ses talents et de ses compétences. L'influence des talents sur les performances de l'entreprise serait importante, et elle s'étendrait à sa clientèle, son marché et la communauté.

Parce que le 6ᵉ talent agit sur ce qu'il y a de plus précieux – le trésor humain –, toutes les organisations, grandes ou petites peuvent en profiter, avoir un impact important et laisser un héritage durable. Or, pour que l'effet multiplicateur du 6ᵉ talent puisse agir sur l'organisation, il importe de mettre les talents au cœur de la culture de l'organisation, tout comme les talents sont au cœur des forces de chaque être humain.

Et si on allait un peu plus loin...

Imaginez maintenant une organisation qui décide non seulement de favoriser l'expression des talents à l'intérieur de ses murs, mais aussi d'agir en tant que personne morale et d'avoir l'audace d'éveiller, elle aussi, son 6ᵉ talent ! Faire valoir haut et fort ses talents distinctifs comme organisation, en plus de ses valeurs et de sa mission, la transporterait dans sa zone d'excellence, elle aussi.

Et si vous alliez encore plus loin...

Et si vous étiez un agent d'inspiration de ce changement dans votre organisation ? Vos dirigeants, vos collègues, vos collaborateurs et vos partenaires vous seraient sûrement reconnaissants de les avoir éveillés au 6ᵉ talent !

Références

Directement ou indirectement, ces ouvrages se sont avérés des sources inestimables d'inspiration et de précieuses informations pour rédiger *Le 6ᵉ talent.*

BUCKINGHAM, Marcus et Donald CLIFTON. *Découvrez vos points forts*, Paris, Pearson, 2008. Traduction de *Now, Discover your Strengths*, New York, The Free Press, 2001.

BUCKINGHAM, Marcus. *Go Put Your Strengths to Work*, New York, Free Press, 2007.

BUCKINGHAM, Marcus. *StandOut. The Groundbreaking New Strengths assessment from the Leader of the Strengths Revolution*, Nashville, Thomas Nelson, 2011.

COLLINS, Jim. *Good to Great*, New York, Harper Business, 2001.

CHOUINARD, Yvon et Nicole SIMARD. *Impact. Agir en leader*, Montréal, Isabelle Quentin éditeur, 2016.

DUHIGG, Charles. *The Power of Habit*, Toronto, Anchor Canada, 2012.

FOGG, B.J. http://bjfogg.com et http://www.foggmethod.com

FREDRICKSON, Barbara L. *Positivity. Top-Notch Research Reveals the Upward Spiral That Will Change Your Life*, New York, Three Rivers Press, 2009.

GLADWELL, Malcolm. *The Tipping Point. How Little Things Can Make a Big Difference*, New York, Back Bay Books, 2000.

GOLEMAN, Daniel. *L'intelligence émotionnelle 1. Comment transformer ses émotions en intelligence*, Paris, Robert Laffont, 1997.

GOLEMAN, Daniel. *Focus. The Hidden Driver of Excellence*, New York, Harper Collins, 2013.

GOLEMAN, Daniel. *Primal Leadership. Realizing the Power of Emotional Intelligence*, New York, Harvard Business School Press, 2002.

RATH, Tom. *StrengthsFinder 2.0*, New York, Gallup Press, 2007.

ROCK, David. *Brain at Work. Strategies for overcoming distractions, regaining focus, and working smarter all day long*, New York, Harper Collins, 2009.

RUBIN, Gretchen. *Better Than Before. Mastering the Habits of Our Everyday Lives*, New York, Penguin Random House, 2015.

SIEGEL, Daniel J. *Mindful Brain*, New York, W.W. Norton & Company, 2007.

SINEK, Simon. *Start With Why. How Great Leaders Inspire Everyone to Take Action*, New York, Penguin Group, 2009.

WHITMORE, John. *Coaching for Performance*, 4ᵉ édition, Boston, Nicolas Brealey Publishing, 2009.

Exercices, cas vécus et figures

Un moment de réflexion

Cas vécus

Capsules scientifiques et schémas

Merci

Tout d'abord, merci à vous, cher lecteur. C'est avec vous en tête et à nos côtés que nous avons conçu *Le 6e talent*. Ce petit livre a l'ambition d'avoir un très grand impact en faisant une différence significative dans votre vie et dans celle d'un grand nombre de personnes que vous influencerez positivement en mettant vos talents de l'avant. Nous applaudissons votre initiative de réveiller et de déployer votre 6e talent.

Merci à notre éditrice, Isabelle Quentin, un leader inspirant et talentueux qui nous a tout de suite «adoptés», ainsi que le concept du livre. Elle nous a accompagnés avec générosité et finesse tout au long du processus d'écriture. Nous sommes vraiment privilégiés et fiers de travailler avec Isabelle, une femme qui valorise l'excellence, les beaux livres, les relations durables, l'humour et la créativité.

Merci à Louis Garneau d'avoir répondu: «J'accepte avec plaisir d'écrire la préface de votre livre». Nous reconnaissons en lui un homme de cœur et de talents capable d'une grande générosité. Louis Garneau a toujours été notre 1er choix pour la préface du *6e talent* – il était aussi notre 2e et notre 3e choix! Notre rêve s'est concrétisé et nous sommes encore très touchés de collaborer avec un leader aussi inspirant qui incarne le 6e talent à tous les niveaux. Merci aussi à son adjointe, Christine Dubé, d'avoir été une excellente ambassadrice.

Merci à nos conjoints, Sophie St-Onge et Alain Saint-Louis, les premiers membres «critiques» de notre comité de lecture du *6ᵉ talent* qui nous ont soutenus dans ce merveilleux projet.

Merci à tous les autres membres de notre talentueux comité de lecture pour leur rigueur et leur apport significatif: Renaud Bergeron, Suzanne Demers, Nathalie Lachance, Nicole Morin, Yvon St-Pierre et Christian Voyer. Vous avez contribué à élargir notre zone d'excellence et à amener *Le 6ᵉ talent* à un autre niveau.

Merci tout particulier à Chantal Dauray, une créatrice de liens et une amie qui a servi de bougie d'allumage pour nous faire rencontrer il y a plusieurs années. Également, un merci bien spécial à Lyne Gagné, une amie depuis plus de 30 ans, pour nous avoir mis en contact avec Louis Garneau.

Merci à tous nos collègues, partenaires d'affaires, clients, amis et tous les autres – vous vous reconnaîtrez – pour vos encouragements, vos témoignages de confiance ainsi que tous vos «J'ai tellement hâte de lire ton livre», «Je veux être le premier à acheter ton livre» et «Je te réserve quinze exemplaires tout de suite pour les offrir à mon comité de direction», qui ont injecté du carburant dans nos plumes.

Carole et Martin

Notre accompagnateur, Newton

Isaac Newton est né en Angleterre en 1642, l'année où Ville-Marie (aujourd'hui Montréal) a été constituée, où le Harvard College de Cambridge a donné ses premiers cours, où la Nouvelle-Zélande a été découverte... une grande année, quoi!

Toujours un peu avant-gardiste pour son époque, il a exercé plusieurs métiers : mathématicien, physicien, astronome et même théologien. Assoiffé de connaissances et très curieux, Newton a prouvé à l'aide d'un prisme de verre que la lumière était constituée d'un mélange de six couleurs, expliquant ainsi l'arc-en-ciel. Il détiendrait sans doute des brevets de nos jours, car il a, entre autres, construit le premier télescope à réflexion. Ce sont aussi ses recherches qui ont conduit à l'explication de la gravité. On parle de physique newtonienne et des lois de Newton en calcul des relations entre les forces et le mouvement. L'unité de mesure de force a d'ailleurs été baptisée le Newton (symbole N).

Notre homme a vécu 85 ans. Après son décès, en 1727, on lui a fait l'honneur de nommer le pendule de Newton en sa mémoire... Il aurait probablement aimé l'inventer. Le mouvement le fascinait en effet. C'est ce qui l'a amené à expliquer les forces qui font bouger les planètes et qui produisent les marées. Un invité par excellence dans cet ouvrage qui cherche à expliquer les forces propres à amener les humains à passer à l'action pour avoir de l'impact.

Les auteurs

CAROLE DOUCET

Carole dirige une pratique privée en coaching d'affaires. Passionnée par les talents, elle accompagne des dirigeants, des gestionnaires et des professionnels performants pour les amener à progresser plus rapidement, avec plus d'impact et d'assurance. Comment? En les aidant à voir plus clair pour déployer leurs forces et leur leadership. Elle est reconnue pour favoriser chez ses clients et partenaires un niveau supérieur de focalisation, de performance et de satisfaction.

Depuis plus de 30 ans, son regard expérimenté et son expertise en finance et en gestion ont éclairé des centaines de leaders de haut niveau. Son parcours professionnel lui permet de faire bénéficier ses clients et son réseau de partenaires d'une solide expérience dans la PME, les cabinets de consultation et les institutions financières.

Auteure de plusieurs articles publiés et d'un livre numérique, Carole pilote également une carrière d'artiste peintre et a remporté plusieurs prix prestigieux au Québec et à l'international.

Elle participe à des conseils d'administration et des comités dans les secteurs d'affaires et caritatifs. Elle a également conçu et animé de nombreux ateliers destinés aux propriétaires d'entreprises en croissance.

Carole détient un MBA pour cadres de l'Université du Québec à Montréal, un baccalauréat en finance et commerce international de l'Université McGill et une certification en coaching de l'ICF (PCC - International Coach Federation) et de l'Institut de Coaching IDC de Genève. Elle est membre du NeuroLeadership Institute et de l'Institute of Coaching Professional Association (ICPA) affilié à l'Université Harvard.

Elle est née à Montréal et a habité dans son enfance à Aix-en-Provence, en France, avant de revenir s'établir au Québec.

Ses cinq talents dominants sont : maximisation, relationnel, focalisation, studieux, responsabilité.

MARTIN DUCHARME

Martin œuvre dans le domaine des communications depuis près de 25 ans, plus particulièrement dans le secteur de l'image de marque. Ce spécialiste en création et en valorisation de marque sait reconnaître et révéler chez ses clients ce qui les distingue.

Entrepreneur accompli, Martin a vécu l'essentiel de sa carrière à la tête de ses entreprises. Cette expérience d'entrepreneur le rend habile à comprendre rapidement les enjeux de marketing et d'affaires, les marchés et les secteurs d'activités de ses clients, de la PME à la multinationale. Il développe activement son entreprise Nyévo, une agence spécialisée dans le processus de réflexion stratégique pour la création et la valorisation de marques. Ayant développé une approche d'accompagnement stratégique appelée « affirmation de marque », Nyévo permet à ses clients de trouver le bon positionnement pour propulser leur marque et un développement des affaires authentique.

Idéateur et créateur, Martin démontre une habileté à projeter un regard toujours renouvelé sur les enjeux et les défis de ses clients, et propose ainsi des solutions axées sur l'innovation et les résultats. Il est reconnu pour amener les gens à voir et penser autrement afin de gagner en clarté et de progresser avec inspiration vers leurs objectifs, voire de les dépasser!

Actif dans sa communauté au fil des années, Martin a siégé à différents comités et conseils d'administration. Il a également écrit plusieurs articles sur «l'affirmation de marque» et il est invité comme conférencier à partager ce concept novateur.

Depuis quelques années, Martin Ducharme a élargi ses horizons créatifs en découvrant avec bonheur la peinture, un art où il connaît un succès grandissant.

Il est né à Montréal et habite la région de Lanaudière au Québec.

Ses cinq talents dominants sont: idéation, intellectualisme, responsabilité, connexion, stratégique.

Célébrez vos bons coups !

Rendez-vous au site Web du 6e talent et découvrez de nouvelles stratégies et astuces pour déployer encore plus votre 6e talent : **www.6etalent.com**.

Soyez de ceux qui transmettent le mouvement et partagez sur les réseaux sociaux les impacts produits et les fruits récoltés en faisant valoir vos talents.

Qui sait combien de personnes vous inspirerez à réveiller et à activer leur 6e talent !

Achevé d'imprimé
le 17 mars 2017
sur les presses de HLN,
Sherbrooke, Québec,
pour le compte
d'Isabelle Quentin éditeur.